在地下城尋求邂逅是否搞錯了什麼外傳
劍姬神聖譚
上頭刻的是露出滑稽笑容的小丑徽章。
這是與一尊「天神」締結契約的「眷族(familiar)」證明。
大森藤ノ
Fujino Omori
插畫
はいむらきよたか
Kiyotaka Haimura
角色原案
ヤスダスズヒト
Suzuhito Yasuda
Copyright ©Kiyotaka Haim

U0063237

CONTENTS

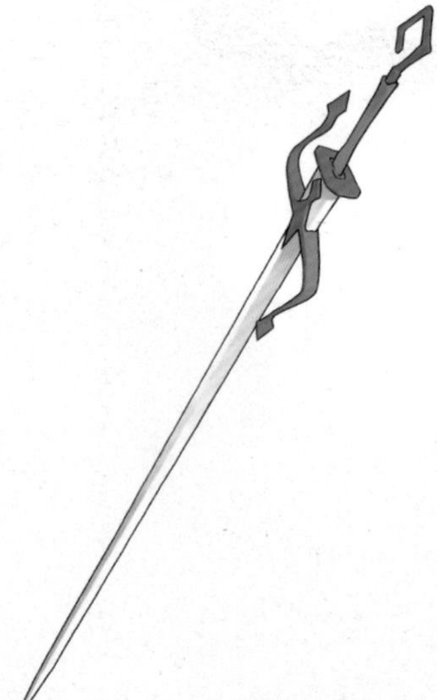

Copyright ©Kiyotaka Haimura

「雖然我也好不到哪去啦——
但艾絲比我危險多了喔。」
蒂奧娜・席呂特
亞馬遜人的第一級冒險者。
蒂奧涅的雙胞胎妹妹。
「您今天
也好可愛喔，團長♡」
蒂奧涅・席呂特
亞馬遜姊妹中的姊姊。
愛團長芬恩愛得要命。
「不能總讓人保護我，
可是我卻……」
蕾菲亞・維里迪斯
崇拜艾絲的精靈族魔導士。。
「……謝謝，
我會記在心裡的……」
芬恩・迪姆那
帕魯姆
統率眾人的【洛基眷族】團長。小人族。

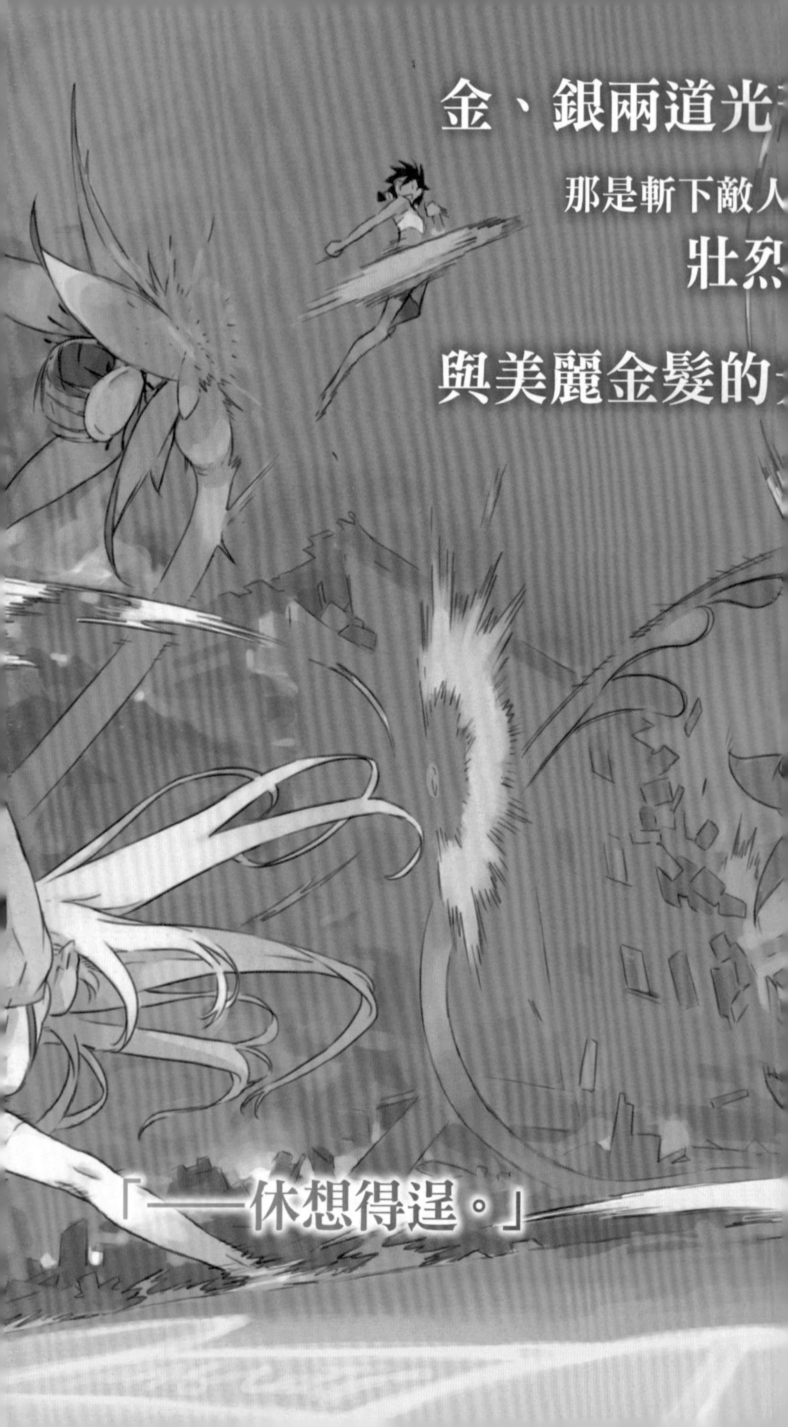
金、銀兩道光
那是斬下敵人
壯烈
與美麗金髮的
「——休想得逞。」

芒在視野中飛馳而過。
首級的
劍刃閃光，
光輝。
「……給我找了一堆麻煩，你這株臭花！」
Copyright ©Kiyotaka Haimura

洛基　最大派系【洛基眷族】的主神。
「艾絲美眉，
有我這個主神真是太好了喔——」
「臉靠太近了……洛基。」
艾絲・華倫斯坦
歐拉麗當中最強的女性劍士。

「【漫天吹雪，三度嚴冬──
吾名為阿爾弗】！」

「你們幾個……
誰是媽媽了。」
里維莉雅・利歐斯・阿爾弗
【洛基眷族】副團長。
名符其實的迷宮都市最強魔導士。
「少理那些小咖。
盡量瞧不起他們就對了。」
伯特・羅卡
好戰的狼人戰士。
werewolf
「嗯，年輕真好……」
格瑞斯・藍德羅克
矮人老兵。在【洛基眷族】中資歷最老。
Copyright ©Kiyotaka Haimura

在地下城尋求邂逅是否搞錯了什麼　外傳
劍姬神聖譚

大森藤ノ

青文文庫

插畫　はいむらきよたか
角色原案　ヤスダスズヒト

序章
初始的迷宮譚

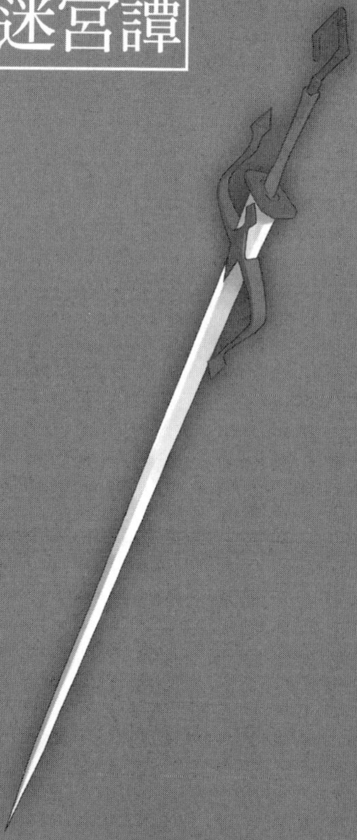

Гэта казка іншага сям'і

Тан Лабірынт пачатку

Copyright ©Kiyotaka Haimura

連番咆哮轟然響起。

伴隨著地鳴的腳步聲後，踐踏著荒涼的地面。

有如山羊般反轉的兩根曲折大角，脖子上鼓脹的醜惡臉孔有如馬臉一般。像是與接連噴出的鼻息相互呼應，鮮紅的眼珠子四處蠢動，睥睨著獵物的身影。

堪稱怪物級的巨大軀體展開進擊，數不盡的黑色影子，將持有鈍器的粗壯手臂高舉過頭。

「舉盾——！」

隨著一聲令下，數不清的撞擊聲清脆地響起。

幾十面大盾擋下了怪物們的攻勢。

舉盾者的腳跟深深埋進地面，述說著怪物突擊的威力。

「前鋒，別讓密集陣形（隊形）散開了！後衛組持續進攻！」

負責迎戰兇惡猙獰怪獸的，是由多數種族構成的人類、亞人（Demi-human）軍團。

肌肉發達的矮人架起兩面巨盾，精靈和獸人則是用箭矢、魔法持續向敵人進攻。褐色肌膚的亞馬遜姊妹在戰場上面縱橫馳騁，穿越同伴的遠距離攻擊，同時砍向怪獸。

分為前鋒、後衛（前後兩組）的部隊中，一支旗幟在陣形中央被風吹得啪啪作響。

上頭印的是面露滑稽笑容的小丑（trickster）徽章。

這是與一尊「天神」締結契約之「眷族（familiar）」的證明。

「——！」

寸草不生的荒蕪大地。岩石、砂礫，一切被染成紅褐色的廣大空間。

遭到飛沙掩蓋的景色深處有一面拔地參天的巨大牆壁，還有遮住天空的天花板。

這裡是地下好幾十層樓的「地底深處」。

人們與怪獸一邊發出絕對不會傳到地面上的吼聲，一邊交戰。

「蒂奧娜、蒂奧涅！快去支援左翼！」

在這個戰場上比誰都還要矮小的少年——小人族(帕魯姆)領袖精闢且迅速地下達指示。

縱觀戰況趨勢的統率者，其聲音高亢、銳利。在他的指揮下，瞬息萬變而差點趨居劣勢的戰況有好幾次得以扭轉。

「唉唷——，有幾個身體都不夠用啦——！」

「少廢話，多做事。」

接到命令的亞馬遜姊妹疾馳而出，瞬間砍倒了三頭怪獸。

事實上，那真是有如噩夢一般的景象。

不知道從哪裡冒出來的怪獸大軍。不管怎麼屠殺卻還是源源不絕地進逼，用企圖以數量優勢吞沒我方的態勢襲擊而來。

每一頭隨便都比成年人高大的龐大身軀，揮動著類似化石骨骸的棍棒型鈍器，使最前線架著盾牌的人露出痛苦的扭曲表情。他們並肩密集組成的防衛線一點一點後退，呈現出來的半圓陣形規模正逐漸縮小。

亞人們的集團節節後退。
「里維莉雅——！還沒好嗎——！」
在亞馬遜少女喊叫的方向，前鋒組保護的背後。
在連發魔法與箭矢的魔導士、弓箭手（archer）所包圍的中心，吟詠的美妙聲音不絕於耳。
「【——不久之後，火焰將會釋出】。」
翡翠色長髮及白色基調的魔術裝束，白銀法杖稍稍平舉。
長著一對細長尖耳，擁有絕世美貌的精靈。
「【悄然進逼的戰火，無可避免的毀滅。開戰的號角高亢鳴響，包圍著一切暴虐的戰亂】。」
在這座戰場上比誰都還要美麗的她，正以珠圓玉潤的嗓音交織出咒文。
韻律強而有力，既流暢又優美的「詠唱」。
腳下展開的魔法陣（magic circle）綻放出翠綠色光輝，飛散出無數的光之粒子。
她倒豎柳眉，嘴唇繼續交織著咒文，雙眼緊盯前方一點。
「【到來吧，紅蓮之焰，無慈悲的猛火】。」
耳裡聽著流暢的詠唱聲，所有人無不擠出最後的力量。
他們咬緊牙關，期待著久等不至的瞬間。
「——吼喔喔喔喔喔喔喔喔喔喔喔喔喔喔喔喔喔喔喔喔喔喔喔！」
怪獸——「弗莫爾」張嘴吼叫了。

在群體裡面體型特別大的一頭怪獸突然猛衝而來，連自己的同伴都被撞飛出去，牠將武器舉到頭頂上的最高位置。

急速進逼的巨大身影，讓正面迎戰牠的一名前鋒人員從盾牌縫隙間瞪大了雙眼。

非比尋常的臂力發出一擊砸進了架起的盾牌，將周圍的人一起捲入，擊飛了前線的一角。

「——伯特，填補空隙！」

「嘖，搞什麼！」

防衛線被打破一個洞。負責游擊的狼人(werewolf)火速趕去，但卻來不及馳援。幾頭怪獸就這樣侵入了內部。

原本受到前鋒保護的魔導士們臉色頓時蒼白；同一時間，弗莫爾也施展出驚天動地的一擊。

「蕾菲亞!?」

一名少女被彈飛出去。

儘管避開了直擊，不過粉碎地面的鈍器一擊，所發出的衝擊波還是將她纖細的身軀給轟飛。

「——啊。」

「呼……！」

一道黑色影子出現在倒地少女的面前。

長著凶惡獸面的弗莫爾。就是方才突破同伴人牆的那頭超大型怪獸。

紅色眼珠露出凶光俯視著自己，讓少女為之凍結。

她蔚藍色的眼眸映照出高舉揮下的鈍器身影。
緊接著，
一道斬擊。
「咦？」
金銀兩道光芒在視野中飛馳而過。
瞬息之間，弗莫爾的身體噴出血沫，飛上空中的頭顱掉落地面。
「……」
在少女呆滯視線的前方。
一位飄逸著金色長髮的女劍士無言地甩了一下銀劍，發出「咻」的一聲。
「艾絲！」
在前鋒位置看見整個過程的亞馬遜少女發出了歡呼。
確認跌坐在地上的少女平安無事後，被稱為艾絲的少女即刻展開行動。
伴隨著風聲，銀色劍光陣陣閃爍。
她逼近侵入後方的剩餘怪獸，一擊必殺，在魔導士、弓箭手面前一口氣殲滅了所有弗莫爾。
「喂，艾絲，等一下啦！」
繼續前進。
她甩開制止的聲音，衝向仍舊大舉進攻的弗莫爾大軍。

飛身一躍，高高跳過了架起盾牌的前鋒頭頂。

「……太強了。」

有人喃喃自語。

那句低語從某人的雙唇中傾漏而出。

激烈劍舞終焉展開。

斬擊之後又是斬擊，形成了任何怪獸只要靠近都會被劍擊砍成碎片的風暴。

避開撲向她的巨腕，接二連三地斬斷胴體、頭顱，一舉手一投足既華麗又殘酷。

當集體殺向前鋒的怪獸數量銳減時。

許多人抱持著敬畏之意，出神地看著【劍姬】的英姿。

「【汝乃業火化身】。」

「【掃蕩千軍萬馬，為大型戰亂拉下終幕】。」

在後方，極大的魔力能量不斷攀升。

交織已久的長篇詠唱終於到了完成時刻。

「艾絲，回來！」

聽見呼喚自己的聲音，少女——艾絲往後一瞥，縱身一躍。

在發出怒吼聲的怪獸們仰望下，她在空中畫出一道大弧線，翻個筋斗後降落在我軍陣地中央，回到了隊列之中。

「【燒盡一切，史爾特爾之劍——吾名為阿爾弗】！」

下個瞬間，隨著一陣爆發聲響，魔法陣擴大，直達艾絲等人——以及所有弗莫爾的腳下。

整個戰場都在有效範圍之內。

舉起白銀法杖，精靈魔導士里維莉雅發動了自己的「魔法」。

「【高等・勝利之劍】!!」

大火。

地面——魔法陣突出無數根火柱。

伴隨著震耳欲聾的爆炸聲，呈現放射狀的火焰避開艾絲等人連續射出。直達大空間天花板的火焰柱相當粗厚，豈止刺穿了弗莫爾大軍，還直接吞沒了牠們的巨大身軀。

怪獸的身影陸續消失在劫火深處，淒厲慘叫層層重疊。

大範圍殲滅魔法。僅僅一眨眼工夫就掃蕩了超過五十頭的怪獸大軍。

空間裡面充斥著熱氣與火花，世界被灼熱所包圍。

眾人靜靜放下武器。

艾絲等「冒險者」的容貌也被染得一片緋紅。

世界上有個「洞穴」。

那是在大陸角落悄悄張開大口的大洞。上古時代，在人族尚未發覺前，那個「洞穴」就已經存在，誰也無從知曉其起源。

「洞穴」能夠誕生出無限的怪物，是一座魔窟。

從大洞裡面湧出的異類異形怪獸在地表上橫行，席捲森林、山脈、幽谷、海洋、天空等世界上的任何領域。人族一時之間束手無策，慘遭蹂躪。為了取回地表支配者的尊嚴，同時也為了替同胞復仇，人族跨越種族藩籬，在同心協力下展開了反撲。

所幸有那些後世稱為「英雄」者的活躍表現，人族與怪獸展開一進一退的攻防——最後終於到達了堪稱怪獸根源的「洞穴」。

「洞穴」深處有著異於地表的另一個世界。

那是分成無數樓層的「地下迷宮」。

縱使沒有日照，不過卻充滿不可思議的光源，有前所未見的花草茂盛生長，還有該地才能夠採集到的礦物。不但有貴重資源，還有能夠產生「魔石」的怪獸，在這座地下迷宮——地下城中，到處都是「未知」的事物。

於是人族以「蓋子」為名義，開始在「洞穴」上方建造塔樓與要塞，並招募有志之士抵禦怪

獸來到地表。
同時人族當中也開始出現一些好事的探索者，夢想著要開拓「洞穴」另一頭的世界，也就是地底廣闊無邊的未開發地帶。
不知不覺間，「冒險者」這個名詞，
在許多情況下，變成專指那些無法抵抗「未知」誘惑的人。

從那個時候開始，時光流逝。
在當時那個時代——「古代」的分水嶺，世界迎向了轉機。
「諸神」降臨了。
祂們這些名符其實的超越者在這個世界，也就是「下界」顯靈了。
在「天界」度過悠久時光而感到厭煩的祂們，從培育出多元文化並與怪獸激烈交鋒的人族（孩子）——下界之人身上找到了娛樂。
自從諸神降臨以來，世界的原有樣貌改變了。
有了為下界人們帶來無限可能性的諸神「恩惠」，人族力量急遽增強，開始走上了發展的道路。
連地底有著怪獸巢穴的那片土地也不例外。
迷宮都市歐拉麗。

歷經盛衰更迭，過去建造在「洞穴」上面的要塞構築成大陸屈指可數的大都市。

財富、名聲，最重要的是依然沉睡著「未知」的魅惑之地。

受到欲望附身的法外之徒們、因「未知」而深深著迷的冒險者們，還有追求娛樂的諸神，全都聚集在這個世界的中心。

許多人的想法、故事也在此地交錯縱橫。

向上天祈求神明救濟的遠古時代已經結束。

如今是人們向神明乞求不起眼的一點幫助，手握這一小片的施捨，並靠自己來實現願望的時代。

財富、名聲、未知。

遙不可及的高處、渴望——宿願。

此刻正是神的時代。

在地下城尋求邂逅是否搞錯了什麼 外傳

第一章

洛基眷族

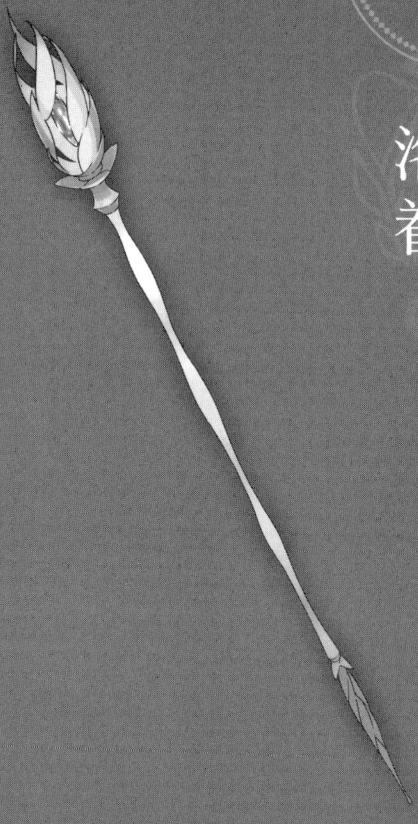

Гэта казка іншага сям'і

Сям'я Локі

Copyright ©Kiyotaka Haimura

吵雜的喧鬧聲傳來。

金屬摩擦聲與拉拉雜雜的閒聊聲交疊在一起，許多人在周圍來來往往，忙著某些工作。有人扛著器材、有人將鐵樁打進地面、有人小跑步到處傳話，每個人都有要忙的事情。

中等規模的野營景象。

在這個人類、亞人不分彼此交雜的地方，一頭金色長髮隨風飄揚。

穿著蒼藍輕裝、線條細緻的身體；細緻又水嫩的肌膚；從遠處看也相當端正的纖細五官；還有跟頭髮一樣都是金色，隱含著透明光輝的眼眸。

吸引著男女眾人目光的美麗容顏不輸給精靈，甚至能夠媲美女神。

這位甚至散發出一股神祕氛圍的金髮金眼少女正抱著摺好的布走動。

「艾、艾絲小姐！」

聽見呼喚自己的聲音，她——艾絲停下腳步。

回頭一看，將濃金色秀髮綁成馬尾的少女站在那裡。

垂在臉龐兩側的一綹髮絲中伸出了如樹葉般尖細的耳朵。

那是以月貌花容而聞名的精靈族。

「剛、剛才很感謝您救了我！我總是給大家扯後腿……那個，真的很對不起！」

「……傷勢還好嗎，蕾菲亞？」

看到精靈族的蕾菲亞羞愧地不斷低頭道歉，艾絲如此回問她。

每個動作都顯得有些緊繃的她睜大雙眼，一再強調自己很好。

她——蕾菲亞・維里迪斯，是方才與怪獸交戰時在千鈞一髮之際受到艾絲搭救的其中一位魔導士。

儘管小巧的眼鼻流露出些許稚氣，不過還是難掩種族特有的天生麗質。那美妙的容貌，此刻的表情正瞬息萬變。

面對關心自己的救命恩人，個性一板一眼的少女心中既是感恩又是感謝，反應可以說相當敏感。

「……真的很抱歉。不能總讓人保護我，可是我卻……」

「……我沒關係的。」

蕾菲亞表情頓時籠罩陰霾，懊惱地低下頭去。

儘管艾絲已經說了沒關係，不過這個後進還是不肯抬起頭來。

知道自己欠缺情感表現方式，在傷透腦筋想了半天後，艾絲緩緩伸出手來。

最後一刻，她猶豫了，右手在空中遲疑了一會，最後才慢慢放到蕾菲亞的頭上。

少女肩膀一震，艾絲用生疏的動作摸了那頭濃金色的柔順秀髮。

「沒關係的。」

蕾菲亞抬起頭來，兩眼差點濕潤起來。

她讓艾絲摸了一會兒頭髮，然後雙頰微微染紅地說：「我、我來拿！」，一把搶走了艾絲手

上的東西。

艾絲「啊」的一聲，帳棚用布從她手中消失。

「——艾——絲！」

「咦！」

「……嗯。」

隨著一個小小的衝擊，一雙手臂從背後繞了上來。

蕾菲亞嚇了一跳，艾絲稍微回頭，看到一名少女從背後抱住自己。

「蒂奧娜……」

「妳們在幹嘛呀？是不是蕾菲亞又在沮喪，並受到艾絲安慰了？」

「我、我不是有意要她安慰我的……！」

聽到名為蒂奧娜的少女這麼說，蕾菲亞的臉變得更紅了。看著兩人一個笑得開懷、另一個被逗著玩，艾絲的嘴角露出微微笑意。

健康的小麥色肌膚。臉上沒有一絲陰霾，流露出她樂天的個性。服裝是亞馬遜人特有的舞者風裝扮，袒胸露背。上半身只有一塊薄布遮住胸部，腰上纏著長長的裹裙。肚臍與曼妙的肢體毫不吝惜地暴露在外。

視線一跟艾絲的金色雙眸對上，蒂奧娜就像向日葵般開朗地笑了。

「別放心上啦，蕾菲亞。在大荒野（莫伊特）戰鬥時，不可能大家都全身而退呀。妳每次都這樣道歉，

Copyright ©Kiyotaka Haimura

艾絲也很傷腦筋的。對吧！」

「……嗯。」

「嗚……我、我明白了。」

看到蕾菲亞輕輕點頭，蒂奧娜笑了一下。

這次換纏繞在艾絲身上的手臂加重力道。

「那麼，我說啊。艾絲，妳為什麼要那麼亂來？」

「……」

「我有阻止妳耶。只要維持防衛線（人牆）就好，沒必要衝進一群弗莫爾裡面啊。」

蒂奧娜的語氣帶有些許質疑態度。

她似乎是在責怪艾絲，不該在和怪獸交戰途中擅自貿然突擊。艾絲無話可說，也為了不該害她擔心，只能小聲說著「……對不起。」來道歉。

「雖然我也好不到哪去啦……但艾絲比我危險多了喔。」

牢騷般的低語帶著些許嗚咽，蒂奧娜加重了手臂力道。艾絲感受著她壓在肩上的重量，同時雙眼慢慢低垂。

很快地蒂奧娜就噘著嘴開始抱怨：「所以我說艾絲妳呀——」，艾絲沒有抵抗，任由她抱緊自己。

至於蕾菲亞，則是因為目睹了兩個女生的親密情誼而顯得有些落寞，並用有些羨慕的眼光望

著兩人。

「喂，少噁心了，快放手。」

「好痛——！」

這個時候，從旁伸出一條長腿，踹了蒂奧娜的腰一腳。

不知道是什麼時候冒出來的，頭上長著獸耳、腰際有條尾巴的獸人青年露出了冰冷眼神。

擁有尖銳毛皮的耳朵、尾巴，這是狼人的特徵。

大發雷霆的蒂奧娜在轉頭後放開了艾絲。

「你幹嘛啊！很痛耶——！」

「我說妳很肉麻耶。我都起雞皮疙瘩了，少讓我看到奇怪的畫面。」

「聽你在講！反正伯特不就是想找艾絲搭訕嘛，還耍帥！」

「什麼，妳……想、想打架是嗎！」

「唉唷——，被我說中了——！半調子肖狼——！」

「妳這個臭婆娘——！」

「那、那個，你們不要吵架……！」

看到伯特、蒂奧娜轉眼間演變成激烈爭吵，蕾菲亞膽戰心驚地試著勸架。

被排除在外的艾絲一個人站在原地。

「你們在幹嘛……好吧，其實不用問也猜得出來。」

「……蒂奧涅。」

或許是聽見了騷動聲響，跟蒂奧涅一樣是亞馬遜人的少女來到艾絲身旁。

除了一頭及腰的長髮和氣質，還有部分的體型（胸圍）外，她跟蒂奧娜簡直就像是同一個模子刻出來的。

蒂奧娜的親人，同時也是雙胞胎姊姊——蒂奧涅忍住不嘆氣，轉向艾絲。

「艾絲，團長在叫妳，去吧。剩下的我來處理就好。」

「……不好意思。」

「別在意。——好啦，你們兩個，這麼閒的話就去幫其他人準備野營。」

聽著背後響起蒂奧涅的督促聲，艾絲離開該處。

她走在帳棚逐漸完成的野營地裡。

目的地是視線遠方一處特別大的帳幕。圍起布幕的帳幕旁立有印上派系徽章——滑稽小丑（trickster）的旗幟。

【洛基眷族】。

艾絲、蕾菲亞、蒂奧娜等人隸屬的「神」的派系。

所謂的【眷族】，是降臨下界的諸神麾下所構成的組織名稱。

為了享受名為下界生活的遊戲，諸神之間決定了符合祂們美學的規則——也就是將全知全能的「神力（Arcanum）」封印起來。換句話說，紆尊降貴成了零能之身的諸神，將發掘力量的契機「恩惠」賜

予下界人們，交換條件就是要讓他們供養自己，架構出一種利害關係。這種讓自己的專屬成員開創事業並互相競爭的行為，就是諸神娛樂的其中一環。

領受了「恩惠」的人們被稱為「眷族（familiar）」，意思是與天神締結了契約的一派。

「芬恩。」

「啊，妳來啦，艾絲。」

在眾多天神降臨的下界有許多【眷族】，並依照派系主神的意向進行各種不同的活動。

其中，艾絲她們隸屬的【洛基眷族】的活動目的是——攻略「地下城」，以及開拓前人未達的樓層。

「哇哈哈，我們正談到妳呢，艾絲。」

「格瑞斯……這種時候不要笑。」

穿過帳幕入口，就看到三位亞人圍著矮腳桌。

與蕾菲亞同樣是精靈的女性，里維莉雅・利歐斯・阿爾弗。

體格強壯的矮人，格瑞斯・藍德羅克。

還有身為小人族的少年，芬恩・迪姆那。

這三位就是擔任【洛基眷族】中堅的首腦陣容。

「好啦，開場白就免了。知道我為什麼叫妳過來嗎，艾絲。」

「……嗯。」

「那事情就好談了。妳為什麼要違反維持前線的命令？」

身高只到艾絲腹部的芬恩用冷靜的語氣質問她。

柔和的金黃色頭髮、有如湖面的碧眼。儘管外貌比任何人還要稚嫩，不過卻讓人感受到深層的智慧，這就是在地下城攻略行動中做出所有指令、判斷的團員領袖。

「艾絲，妳很有實力，所以才能夠兼任組織幹部。無論正確與否，妳的行為都會影響到下面的人。妳必須記清楚這點，不然我們會很傷腦筋的。」

「……」

「現在的立場會讓妳覺得綁手綁腳嗎？」

「……不會，很抱歉。」

瞬間的心境變化被他看穿了。

看著露出清澈眼神對著自己笑的芬恩，艾絲乖乖地反省並出言致歉。

「好啦，別這樣念她了，芬恩。艾絲也是為了減輕前鋒（我們）的負擔，不得已才會衝進弗莫爾群吧。我們那個時候確實差點潰不成軍了。」

「如果要追究的話，我詠唱太花時間也有責任。」

捋著一口硬長鬍鬚的格瑞斯還有里維莉雅都在幫艾絲說話。

只見艾絲缺乏變化的表情中一雙眉毛滿懷歉意地彎了下來，矮人先生眼睛瞇成了月牙；精靈麗人則是一語不發地閉上雙眼。

三個人的模樣讓芬恩面露苦笑，不久之後抬頭看向艾絲。

「艾絲，這裡是地下城，會發生什麼狀況誰也不知道。而且蕾菲亞他們不是所有人都能夠像妳這樣行動、戰鬥。只有這點希望妳能夠牢記於心。」

「……我，明白了。」

「看妳的表情，大概蒂奧娜還是誰已經講妳一頓了吧。妳可以走了。」

聽到芬恩表示言盡於此，艾絲鞠了個躬。同時，這也是在對里維莉雅、格瑞斯表示謝意。

走出帳幕，艾絲反覆思索著芬恩最後的那番話，慢慢地抬頭仰望上方。

看不見天空，被岩壁擋住的圓頂狀天花板。從高不可及的圓蓋衍生出無數柱狀突起，表面有神祕燐光零星亮著。

地下城。

存在於迷宮都市歐拉麗地底，廣大無邊的地下迷宮。

艾絲等人如今停留在怪獸不斷湧出的深邃地底。

在【洛基眷族】的根據地——迷宮都市歐拉麗中，每天都有許多冒險者以這座世界僅有的地下迷宮為目標，踏進都市的大門，進入地下城。諸神也為了擴大、增強自家派系的勢力，大多數都選擇經營探索（地下城）類的【眷族】，踴躍探索並攻略迷宮。

艾絲等人的【眷族】也是其中之一。

「喂，妳很笨耶！怎麼連個帳篷都搭不好啊，蠢亞馬遜人！」

「你、你很吵耶——！是伯特不會教吧！不是我的錯！」

「蕾菲亞，別理他們，麻煩妳找些人準備煮飯喔。」

「好、好的！」

此時此刻，【洛基眷族】正在進行「遠征」。

他們鑽進地下城的遙遠深處，耗費長時間前往尚未抵達的樓層。目前一行人正在搭建營地，穿插著進行大規模休息的相關事宜。

儘管目前正在「遠征」途中，不過可能是因為剛剛與怪獸展開過激烈戰事——跨越過一大難關的關係，團員們臉上洋溢著興奮與成就感，周遭呈現出一股就好的方面來說算是相當鬆懈的氣氛。看著同伴們和樂融融地搭蓋野營地，艾絲漫步往前進。

搭好的複數帳棚，隨意放置的物資搬運用貨物箱。穿越大量器材，眼前的雜亂視野一口氣變得開闊起來，她來到了野營地的外圍。

眼前展開的，是令人不敢相信自己正身在地底的雄偉景緻。

那是一片染成灰色的樹叢。彷彿蓋了一層灰的樹林淹沒了周圍所有空間，直到遠方那頭的壁面——樓層的盡頭。樹木間有河流呈葉脈狀流過，藍色河水流川不息地延續下去。

天花板亮起的燐光規模不算耀眼，感覺起來近似黃昏。

搭蓋的野營地位於高達十M（米度）的廣大岩台上。艾絲從上頭眺望眼前的景色。

「……」

目前所在地是地下城第50層。

在眾多冒險者——【眷族】棲身的迷宮都市（歐拉麗）中，這裡仍稱得上是攻略的最前線。

艾絲一個人佇立，暫且專心眺望著很多人還沒能目睹的風景——沉眠於深邃大地底下的灰色大森林。

攜帶用的「魔石燈」搖曳著幾盞燈火，【洛基眷族】成員們正開始用餐。

第50層是地下城裡面不會產生怪獸的安全樓層（safety point），比較不會有突發事故，或是遇襲的危險。地下城中有好幾個安全樓層，就像【洛基眷族】選擇這裡作為野營地，冒險者們也將這裡當成大規模休息區。

「大荒野的戰鬥辛苦大家了。多虧有你們全力幫忙，我們才能夠抵達第50層。我想趁這個機會感謝大家，謝謝你們。」

「每次跨越第49層都要花費一番工夫呢——。而且今天出現的弗莫爾數量又特別多。」

「樓層主（巴羅爾）沒有出現就很不錯啦。」

「哈哈。總之讓我們乾杯吧。雖然沒有酒就是了。那麼——」

「乾杯！」

芬恩笑著回應亞馬遜姊妹的話，帶頭叫大家乾杯，而大家也跟著附和。畢竟是身處於地下城內，儘管每個人都不忘戒備，但也稍微放鬆了一下。

搭建好的野營地中心放著一只大鍋，團員們圍著它坐下。鍋子裡面的食物是途中樓層採來的香草與堅果，還有肉味果——誠如其名，具有肉類滋味與口感的果實——燉煮而成的湯。儘管迷宮生產的堅果與肉味果是怪獸的食物，不過不會對人類、亞人有害，所以便拿來吃了。

基於許多原因，地下城裡面的餐點經常是用隨身口糧應付了事，因此這一餐算得上是珍饈佳餚了。芬恩同時考慮到士氣所做的安排，讓團員們得以大快朵頤在地下城難得的料理。

「那個，艾絲小姐，您真的不吃一點嗎？」

「嗯，不要緊……」

「這——麼愛逞強，我看妳的肚子其實正在咕嚕咕嚕叫吧——？來嘛來嘛——？」

「……」

艾絲咬著方塊狀的隨身口糧，蕾菲亞正在問她，這個時候蒂奧娜端了只剩下湯的容器走了過來。

強烈刺激食慾的濃郁香氣吸引了艾絲的視線，不過她憑藉著鋼鐵般的意志將臉別開。她堅信攝取過剩的餐點會影響戰鬥時的身體狀態，誓言對滿面笑容的褐色小惡魔抵抗到底。

後來蒂奧娜因為實在太黏人了，於是被蒂奧涅敲了一下頭。

「那麼來確認今後的計劃吧。」

等到善後完畢，芬恩在原本放著鍋子的地方開口說道。

除了守衛外，其他人圍成一個小圈圈，視線朝向芬恩。

「『遠征』的目的是開拓未抵達樓層，這點沒有改變。不過，這次在前往第59層前必須先完成冒險者委託(quest)。」

冒險者委託，指的是請冒險者辦理之事務的總稱。

接受請託的冒險者達成委託，向委託人領取報酬作為回報。

提出訂單的委託人包括【眷族】、商人，甚至還包括營運迷宮都市的管理機構(公會)，可說是無所不包。

「冒險者委託……我記得是【迪安凱特眷族】提出的對吧？」

「對。內容是在第51層在『卡德摩斯湧泉』收集指定分量的泉水。」

蒂奧涅提出問題來確認，芬恩點頭回答。待在姊姊身邊的蒂奧娜立刻厭煩地嚷嚷起來。

「『卡德摩斯湧泉』……唉唷——，好麻煩喔。幹嘛承接那種委託啦？」

「因為報酬合理，而且派系之間也得講人情，沒有辦法隨便拒絕。」

「真是的，那些傢伙竟然把這麼麻煩的委託丟給我們……」

等到里維莉雅回答完後，伯特接著這樣罵了一句。

等到大家抱怨得差不多了，芬恩才繼續開口，將冒險者委託的計劃告訴大家。

「我要派兩組少數精銳小隊前往第51層。兩隊避免浪費武器、道具，並在迅速取得泉水後返

回這個據點（營地）。有疑問嗎？」

「有有有——！為什麼要分兩組小隊啊？」

「因為委託人要求的泉水量又是一個問題。『卡德摩斯湧泉』能夠收集的水量有限。為了達到指定分量，必須要前往兩處湧泉才行。」

「糧食等物資也是有限的。冒險者委託辦妥後，我們還得前往第59層，因此不能夠用掉太多時間，所以才要兵分兩路，藉此提高效率。」

芬恩解釋之後，格瑞斯補充說明。

前往地下城深層的「遠征」也是與時間競賽。光是前往第50層至少得花上五天，如果再把返回地表的時間列入考量，物資最好是能省則省。

「而且，『卡德摩斯湧泉』的位置無法讓太多人前往。儘管分散戰力影響很大，不過人數還是少一點好，這樣行動起來也會比較便捷。……還有其他疑問嗎？沒有的話，我就要選拔隊員了。」

芬恩出聲確認後，沒有人反對，於是大家開始組成小隊。

這個時候也一樣，蒂奧娜馬上舉起手來。

「我——！我去——！艾絲也一起來吧！」

「嗯。」

「本來就是要讓第一級冒險者（我們）去啊，要不然誰去啊……團長都說是少數精銳了，妳有沒有聽

懂啊？」

「那，蒂奧涅也確定跟我們一起囉！」

「喂，等一下，我要跟團長……！」

蒂奧娜的一句話迅速決定了這三個人要組成一隊。

「里維莉雅留在營地。為了應付冒險者委託之後的狀況，我希望妳好好休息，恢復一下精神力（mind），同時負責據點（此地）的防衛事宜。」

「……不得已了。」

芬恩要求【眷族】裡面最高階級的魔導士里維莉雅留在原地待命。

里維莉雅在方才的戰鬥中大幅消耗了發動魔法的來源——精神力，於是便坦率地點了頭。

接著她抬起頭來，注視著一名少女。

「蕾菲亞。妳代替我去艾絲她們那隊。」

「好、好的……咦，什麼！」

「可以吧，芬恩？」

「嗯——，這個嘛。反正蕾菲亞總有一天要成為里維莉雅的繼任者，那好吧。」

「團、團長！里維莉雅大人！我、我還不夠資格……！」

「好，蕾菲亞也到我們這邊來——！」

「啊啊——！」，蕾菲亞被蒂奧娜抓住，喪失了反駁的機會。

「這樣的話，那就由剩餘的第一級成員組成另一隊吧。芬恩、伯特、我……還有……」

「喂，勞爾。你到我們這邊當支援者。」

「小、小的嗎！」

「要不然咧。」

很快地，成員各有四名的小隊決定好了。人員編組如下：

第一組：艾絲、蒂奧娜、蒂奧涅、蕾菲亞。

第二組：芬恩、伯特、格瑞斯、勞爾。

「……欸，第一組（這幾個人）這樣沒問題嗎？」

「嗯……」

陣容太讓人不放心了。聽到伯特毫不掩飾擔憂的詢問，芬恩也陷入沉思。

無與倫比的狂戰士（berserker）——亞馬遜人蒂奧娜不用說，艾絲也因為她的戰鬥方式而被人起了一個非官方綽號「戰姬」，是個不折不扣的戰鬥狂。

蒂奧涅表面佯裝冷靜，但本質卻比這兩個人更凶暴。階級在三人之下的蕾菲亞是絕不可能制止她們的。

沉默了一段時間後，芬恩抬起頭來。

「蒂奧涅，只能靠妳了。別辜負我對妳的信賴喔。」

「——交給我吧!!」

相當迷戀外貌稚嫩團長的亞馬遜少女聽到這句話，高興不已地一口答應。

做妹妹的冷眼瞪著親姊姊雙頰泛紅、意氣風發的模樣，低聲說了句「真好騙」。

好不容易決定好的兩組人馬補眠幾個小時後，

將據點（營地）交給管理其他隊員的里維莉雅防衛，兩組小隊便出發前往第51層。

在地下城尋求邂逅是否搞錯了什麼 外傳

第二章

迷宮渾沌

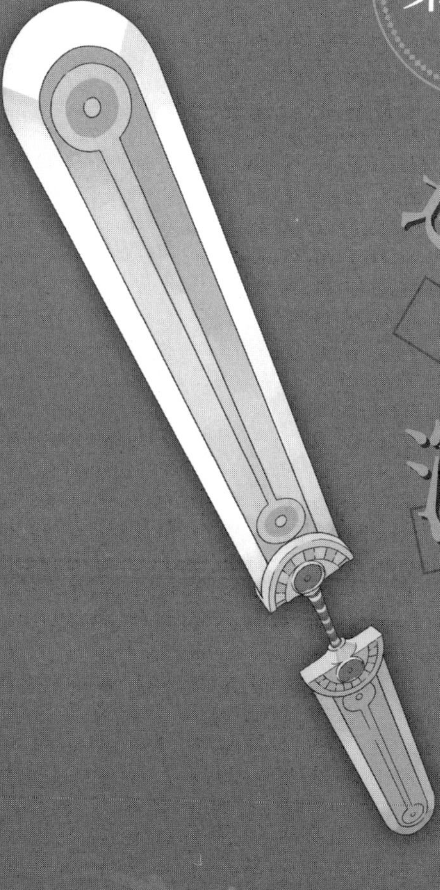

Гзта казка іншага сям'і

лабірынт блытаніны

Copyright ©Kiyotaka Haimura

「我上囉——！」

隨著一聲吆喝，蒂奧娜拔腿狂奔。

她手上拿著沉重到會讓人懷疑自己眼睛的大雙刃。

她一邊用雙手輕鬆甩動特別訂製的武器一邊飛奔，並朝著瞪大雙眼的怪獸一刀砍下。

「第五隻！」

大刀一砍。

渾身蠻力的一擊將怪獸胴體一刀兩斷、擊飛出去。

不看剩下來的屍骸一眼，女戰士（亞馬遜少女）就像是受到本能驅使般，接著撲向下一個獵物。

「艾絲，去掩護那個笨蛋！別跟她一起衝過頭喔！」

「知道了。」

蒂奧娜接續使出的斬擊殺退了企圖包圍她的怪獸們。

任憑金色長髮凌亂飛舞，艾絲的銀色細劍一閃而過。

現在的位置在第51層。

為了冒險者委託，艾絲這組小隊來到了這層樓，現在正與怪獸交戰中。

第51層的構造有如迷宮，這在「深層」裡面相當罕見。

平面的牆壁、地板、天花板彷彿是經過設計建造而成，方整的地下天然通道形成好幾個轉角與十字路口，會讓步入其中的人們迷失方向。材質既非石頭也非泥土的牆壁呈現出深沉的石墨色。

在頭上發亮的燐光照耀下，艾絲等人在寬廣的直線通道上與一群皮膚組織粗糙黑亮的怪獸對峙。

「黑犀牛」。

這是採取前傾雙腳步行姿勢的犀牛型怪獸。儘管身高還不到二M，不過那副肌肉結實的體魄確實稱得上大型級。頭部長著會隨著個體而不同，一長一短的兩根角。

有如鎧甲的皮膚既硬且厚，硬度遠遠超過第49層交戰過的「弗莫爾」。

然而，

「——！」

「嘿呀——！」

被砍飛了。

自由自在揮舞著的雙頭大刃，輕輕鬆鬆就把黑犀牛群砍成碎片。

用粗重刀柄連結在一起的兩把巨劍。

這件凶器在無數武器中仍然足以被分類為超大型，威力更是超群出眾。極寬極厚的劍身無視怪獸的硬皮，將其身軀大卸八塊。

少女發揮細瘦體格不該有的異常力氣，轉著圓圈，好似翩翩起舞。

蒂奧娜靈活操控著她的專用裝備——大雙刃【烏爾加】。

「——喝！」

在蒂奧娜揮舞大雙刃（烏爾加）時，艾絲也在她的旁邊利用斬擊打退怪獸。

她的裝備只有一把軍刀。蒂奧娜使用的大型武器比自己的身軀還高。相比之下，這把銀色細劍看起來遜色多了，不過配合著艾絲本人的劍術與最大的優勢——速度，使得敵人無從抵抗。她憑藉著跟蒂奧娜不相上下的氣勢，持續屠殺著黑犀牛群。

在激烈戰鬥中，不管怎麼揮砍，再怎麼浴血，散發出銀色光澤的劍身永遠沒有一絲暗沉。

「不壞屬性（Durandal）」。

迷宮都市（歐拉麗）中屈指可數的高級鐵匠（high smith）打造的帶屬性特殊武裝（superiors）。

這是領受「恩惠」的鐵匠（smith）們做出近乎諸神武具的高水準產物，在這些稀少的特殊武裝中，艾絲的劍更是擁有「恆久不壞」的屬性。

儘管威力不比其他一級裝備品，不過在戰鬥中絕不會損壞。

【古伯紐眷族】製，第一等級特殊武裝《絕望之劍》。

為了持續戰鬥下去，即使多延長一秒也好，艾絲選擇了這把武器作為愛劍。

「艾絲，我去打右邊喔——！」

「嗯。」

化為暴風奔放戰鬥的蒂奧娜、氣勢如虹斬殺敵人的艾絲。乍看之下似乎各打各的，但她們絕對不讓對手進攻夥伴（戰友）的背後。兩人尊重彼此的攻擊範圍，有時跳躍，有時互換，將自己的身體滑進合適的位置。

兩名少女展現出心有靈犀一點通的聯手攻勢，在游刃有餘的情況下堆積起屍骸。

「右邊通道出現四頭怪獸！深處也有怪獸前來會合！蕾菲亞，準備好後立刻打個暗號！」

當艾絲等前鋒擋下所有怪獸時，位處中堅的蒂奧涅發出指示，不時用飛刀進行支援。

對於依舊源源不絕出現的怪獸，蕾菲亞接到指示，在隊形最後頭的位置舉起法杖開始「詠唱」。

「【——掠奪者在前，拿起你們的弓。回應同胞的聲音，搭箭上弦】。」

棲息於深層的怪獸帶來超乎尋常的壓迫感，而前輩們龍騰虎躍的奮戰姿態更是驚人。面對這樣的壓倒性景況，她控制著差點因緊張而發抖的聲調，念誦著通往「魔法」的辭藻。

心跳聲提高到即將爆發，撼動著蕾菲亞的視界。

「——吼喔喔喔喔喔喔喔喔喔喔喔喔喔喔喔喔喔喔喔喔喔喔喔喔喔喔喔喔喔喔！」

「！」

突如其來，蕾菲亞身旁的牆壁裂開了。

伴隨著碎片的小爆炸，紅紫交雜的巨大蜘蛛現身了。

那是擁有八隻腳、複眼的「畸形蜘蛛」。

從地下城誕生的大蜘蛛怪獸突破壁面，同時撲向蕾菲亞。

措手不及。蕾菲亞當場呆住，醜陋大顎逼迫而來的景象使她動彈不得。

然而，一邊旋轉一邊飛來的彎刀阻止了怪獸的奇襲。

「咕耶！」

「繼續詠唱，蕾菲亞。」

「！好、好的！」

蒂奧涅任由黑色長髮飛揚，趕往蕾菲亞身邊。

投擲出來插進怪獸臉部的一把反曲刀，被她一扭、一揮、一砍，畸形蜘蛛瞬間就遭到肢解。

「啊，呃，那個……！」

蕾菲亞還沒冷靜下來，無法馬上進行詠唱。

就在她耗費過多時間詠唱時，艾絲她們已經在前鋒位置解決所有的黑犀牛群了。

殲滅怪獸後，短暫的寧靜造訪通道。

「對、對不起……我、我……」

「沒關係的，蕾菲亞。沒辦法啦，沒辦法。有時候也會發生這種情況嘛。」

扛著大雙刃的蒂奧娜與收劍入鞘的艾絲回來時，蕾菲亞低著頭表示歉意。不忘警戒周圍動靜的蒂奧涅這個時候也回來了。

自己錯過攻擊時機，完全配合不上艾絲她們，蕾菲亞對此感到相當自責。

「不行的，Lv.3的我，果然只會扯大家後腿……」

「冷靜點，蕾菲亞。」

蒂奧涅將手放在極度消沉的後輩肩上。

看到少女戰戰兢兢地抬起頭來，她與蒂奧娜都出聲安慰她。

「就算Ｌｖ．適性低，妳的魔法力量對這層樓（這裡）的怪獸還是有用的。有里維莉雅替妳掛保證的不是嗎？要有自信。」

「蕾菲亞是『魔力』的能力項目……呃，什麼來著，洛基有說過……對啦對啦，特化（練滿）嘛！而且妳還有『技能』，只要一出招怪獸就死定啦！」

「這……」

被人講到自己的能力，蕾菲亞瞬間失去了反駁的依據。

晃起濃金色的秀髮，回頭看看自己位於脖子、肩膀其下的背部。

向神領受「恩惠」的眷族們，背部都會刻有【神聖文字（hieroglyph）】——天神所使用的文字，就像是碑文一樣。這些文字的組合，就是諸神賜予孩子們的「恩惠」。

「神的恩惠（Pharna）」——又名【能力值】。

它是一種恩寵，會以眷族從各種事實、現象中獲得的【經驗值】為基礎，由諸神提升其人的能力，使其發掘出全新力量。

對下界的人們來說，「神的恩惠」終究只是成長的促進劑。他們必須透過與怪獸戰鬥等等的行為來累積【經驗值】，藉此改變【能力值】的結構，用自己的行動來強化本身的能力。換句話說，諸神賜予的「恩惠」可以說是引發下界人們潛藏可能性的種子。

「力量」、「耐久」、「靈巧」、「敏捷」、「魔力」，這五個身為基本能力的基礎能力值項目，

再加上「魔法」、「技能」這兩種特殊或是固有能力，還有器量的階級，即Ｌｖ．，【能力值】主要是由上述元素構成。其中被稱為身心「進化」的Ｌｖ．上升——【升級】，則是可以讓升級對象的各項能力獲得加成以上的飛躍性成長，並朝著天神這種高級存在更近一步，這應該是最貼切的說法。

蕾菲亞的【能力值】為Ｌｖ．３，而且特別加強與「魔法」有關的「魔力」能力，是完美的後衛魔導士類型。

蒂奧娜說得沒錯，她還有「技能」能夠幫助提升「魔法」的威力，這支小隊裡面就屬她的火力最強。

「可、可是，我一個人連自己都保護不了。剛才也是，要不是有蒂奧涅小姐在，我根本無法完成自己的職責，只能白白喪命……」

然而，艾絲她們都是Ｌｖ．５。

在迷宮都市（歐拉麗）當中，也只有極少數人能夠和她們一樣自稱為「第一級冒險者」，是第一線中的第一線。純粹就能力值而言，或是進一步以近身戰來看，蕾菲亞的實力根本不及她們。

事實上，要是蕾菲亞一個人挑戰這層樓出現的怪獸，必定會束手無策、慘遭蹂躪。

蕾菲亞拚命找話否定蒂奧涅她們的鼓勵。

「……蕾菲亞，你們跟我們該做的事情不一樣。」

這個時候，艾絲開口了。

沒想到文靜的她竟然會加入對話，蕾菲亞驚訝地抬起頭來。

「里維莉雅也有告訴我，要我們保護蕾菲亞還有其他人免受怪獸襲擊，蕾菲亞你們則是讓我們免遭怪獸……那個，嗯……」

艾絲越講越結巴。

蒂奧娜她們都盯著艾絲瞧。因為平常不太講話的影響，現在的她無法明白表達出自己的想法。

艾絲拚命在腦中整理想說的話，雙頰微微泛紅，視線稍微游移，最後堅定地說：

「我們每次都會保護你們的……所以，當我們遇到危險時，蕾菲亞也要幫助我們喔？」

看到她用清亮的金色眼眸注視著自己，又把自己當成同伴表達信賴，蕾菲亞睜大了雙眼。她說不出話來，在嘴唇顫抖後低下頭去，好不容易才點頭答應。

只聽見一聲微弱的嗚咽。

陰暗的氣氛頓時一變，產生了比較溫柔的氛圍。

蒂奧娜滿面笑容，開心地摟著艾絲的肩膀。

看到她愣愣的模樣，蒂奧涅也笑了。

「那麼，趕快回收一下『魔石』吧。數量這麼多，總不能讓蕾菲亞一個人做吧。」

過了一會後，蒂奧涅如此宣言。於是艾絲等人便分成兩組展開回收作業。

她們蹲在怪獸屍骸旁邊，從胸部摘出「魔石」進行回收。

失去跟小石頭差不多大的藍紫色結晶，怪獸的身體急速褪色，最後化為塵土，彷彿什麼都沒

有發生過似地消逝無蹤。

「蒂奧涅，我沒有撿拾『掉落道具』喔，可以嗎？這樣會不會很浪費？」

「那麼大的角跟皮通通撿起來的話，包袱一下子就滿了。我們要以泉水為優先。」

面對蒂奧娜的詢問，蒂奧涅沒勁地回答。不久，艾絲等人從滿地散落著怪獸一部分的通道出發。

一旦失去作為「核心」的「魔石」，怪獸會全身會灰飛煙滅。這個時候保持原形遺留下來的部分肉體，冒險者稱之為「掉落道具」。

這些「魔石」與「掉落道具」可以拿到管理機構或商業類【眷族】換錢，是探索地下城時的主要收入來源。

「蕾菲亞，東西重不重？要不要我幫妳拿？」

「不、不用！我可以的。這點小事就讓我來吧。」

蕾菲亞堅持回絕蒂奧涅的好意。除了作為武器的法杖外，她背後上還掛著一個斜掛式長筒形背包。

有種職業叫做支援者。

支援者原本不是戰鬥員，他們的工作是回收「魔石」等地下城的戰利品，並小心保管到返回地表為止。有時候他們還得攜帶小隊的備用武器或道具。說白了就是「搬運工」。

然而，如果冒險者想要有效率地探索迷宮，那就少不了支援者。一般來說，如果小隊裡面沒

有專業支援者，則是會由【眷族】或小隊裡面能力較低者擔任這個職務。

負責後援且不注重機動性的蕾菲亞自願兼任支援者。

「……要來了。」

「在哪？艾絲。」

「前面……還有，後面。」

當她們在一成不變的通道上面前進了一會兒後。

艾絲的眼神變得銳利起來。誠如她低語所言，在前進方向還有後方都開始響起「劈嘰、劈嘰」的危險龜裂聲。

下一秒，就像剛才猛然襲擊蕾菲亞的畸形蜘蛛，怪獸突破地下城的牆壁現身了。而且還是一次好幾隻。

蕾菲亞倒抽一口氣，艾絲等人形成保護她的陣形，再度挺身與怪獸們交戰。

怪獸是從地下城誕生的。

就如同雛鳥從蛋裡面孵化，牠們會從內部突破壁面，出現在迷宮的任何一個角落。

怪獸從呱呱墜地的瞬間起就是怪獸。在誕生之時，牠們就已經是能夠即刻應戰的成熟體（怪物）了。

樓層越深，誕生的怪獸就越強；到了深層區域，牠們帶來的威脅更是超乎想像。

地下城是怪獸的「母胎」。

人族對地下城的認知僅只於此；至於這片廣大的地下世界為何存在，則是一無所知。唯一確定的是，這座地下迷宮與人族、怪獸一樣都是「活著」的。比方說如果試著用物理方式破壞牆壁，經過一段時間後，地下城便會自己修復受損部分，恢復成原本的結構。

為什麼地下會有光？

為什麼怪獸會誕生？

為什麼迷宮的構造會恢復原狀？

自遠古時代直到現在，關於地下城的各項疑點幾乎沒有一樣獲得解答，只有無可爭辯的事實明確地擺在眼前。

降臨下界，理應無所不知的諸神，不知道是在裝傻，還是真的一無所知，就是不肯跟孩子們——下界住民透露任何一絲真相。

「地下城就是地下城啊。地下城還有什麼其他的好追求的啊，地下城。」。這是諸神（祂們）的至理名言。

解開地下城的謎團。

也許這就是追求「未知」的冒險者們最後的目標。

「總覺得今天好像遇不到怪獸耶。」

「能夠避免最好。不用戰鬥我最開心。」

「我不是這個意思啦……嗯——」

經歷剛才那場戰鬥後，艾絲她們又遇上幾次怪獸。目前算是順遂地在第51層前進。

蒂奧娜走在前頭，後面依序是艾絲、蕾菲亞，以及殿後警戒後方的蒂奧涅。她們組成四人一列的隊形，暴露在地下城特有的緊張感中。

怪獸不現身的地下城蘊藏著寂靜，那種靜悄悄的感覺同時也帶來恐懼感。不知何時會發生何事的迷宮各處隱藏著危險的氣息。

參差不齊的巨大高低差，T字路或是分岔成三、四條的道路，錯綜複雜的迷宮。

她們向全方位提高警覺，不看漏任何一個可疑前兆，並憑藉著地圖指示選擇通往目的地的路線。一行人遠離通往下一層——第52層樓梯的正規路線，不斷往樓層的更深處前進。

「就快到了……在抵達湧泉前先確認一下注意事項吧。」

眼見寬廣的通道開始變窄，蒂奧涅開口如此說道。

艾絲一行人持續前進，一邊互相確認冒險者委託的要項。

「我們的最終目的是拿到泉水……但恐怕得跟強龍(卡德摩斯)戰鬥才行。」

「呃，您說的強龍，就是那個……」

「嗯，很強喔……」

「光看力量的話，也許比樓層主(烏代俄斯)更強吧——」

只在特定樓層出現，而且一次只會出現一頭的巨大怪獸，冒險者們懷著敬畏之意，稱牠們為

樓層主。管理機構（公會）決定的正式名稱是「迷宮孤王（Monster rex）」。
樓層主就等於是怪獸的老大，在該層裡面以超群實力為傲。牠們是攻略迷宮時的最大難關，一般會由許多冒險者合作進行討伐。
聽到蒂奧娜拿出相當於Ｌｖ．６的樓層主來比較，蕾菲亞喉嚨發出「咕嘟」一聲。
「沒、沒有辦法避免嗎？」
「沒辦法。只要那頭龍還像個看門人似的守著湧泉就不行。想拿了泉水溜之大吉可是會沒命的喔。」
「我就曾經被打飛，全身變得爛巴巴的喔——」
對蕾菲亞來說，蒂奧娜笑哈哈地描述內容有如火上加油，嚇得她臉色發白。
「我們要先解決強龍確保安全，然後再裝泉水。」
「我、我明白了……」
「蒂奧涅……作戰方式呢？」
「就照常套來。艾絲、蒂奧娜和我一起上，先壓制住強龍。蕾菲亞發動大魔法攻擊牠。然後我們再趁牠畏縮時一口氣追擊。」
「蕾菲亞，這次都看妳囉——！」
「好、好的！」
不久，艾絲等人停下腳步。從剛才到現在的單行道再走兩三步就會到底，通往一處開闊的空

間。也就是被稱為「窟室」的大廳。

「卡德摩斯湧泉」就在這間窟室內。

「……」

蒂奧涅無言地向艾絲等人使了個眼色。她們互相點頭示意，然後由蒂奧涅走在前頭，重組隊形。

她們放輕腳步，走完所剩不遠的距離。蒂奧涅舉起手掌對著艾絲她們示意她們稍等，然後悄悄偷窺了一眼通道前方。

只要她一打暗號，大夥兒就要一起殺進去。每個人無不屏氣凝神，整支小隊散發出劍拔弩張的緊張感。蕾菲亞嘴唇抿成一條線，用力握緊法杖；蒂奧娜也不像平常那樣愛開玩笑；而艾絲只是專注地凝視前方。

她們壓低姿勢，等候著蒂奧涅的暗號。

「……？」

艾絲第一個察覺到異狀……不，是突兀感。

她訝異地彎著眉毛，毫不客氣地當場站起身來。

「等、等等，艾絲！」

「……不對勁。」

「咦？」

「太安靜了。」

艾絲反射性地回答蕾菲亞的驚叫，往前走去。

她追過正要窺視窟室的蒂奧涅，往更前方踏出腳步。

霎時間，她睜大雙眼。

「這是，怎麼回事……」

「被破壞了……？」

趕緊追上艾絲的蒂奧娜等人此時也嚇得僵在原地。

窟室中遍地長滿密度不及樹林的樹木，不過每棵樹都慘遭折斷，或是被壓爛。周圍的地面、牆壁也好像有什麼大肆破壞過，不是充滿裂痕，就是變得粉碎，一大堆碎片散落一地。

最重要的是，這片景象中，到處都還有遭到溶解的痕跡。

一些部位變成深紫色的樹木如今仍然冒著黑煙，同時散發出難以言喻的惡臭。

「好臭……」

蒂奧娜皺起眉頭，用手臂擋著鼻子。

艾絲等人一臉困惑地走進窟室深處。她們比剛才進一步繃緊神經、提高警戒，穿越被弄倒的樹木之間。

在放眼望去一片狼藉的景觀中，只有那個地方如同聖域般受到保護。

美麗的蒼藍水面興起陣陣漣漪，清冽的泉水。

位處於窟室最深處，從牆上裂縫——小小岩窟中不定期湧出少量泉水。帶有深藍光輝的神祕泉水正徐徐累積在花草叢生的低窪處。

在如此美麗的泉水前方堆積了大量灰塵。

「這是……」

「……強龍的，屍、骸？」

蒂奧涅的喃喃自語在室內異樣響亮地迴盪著。

驚人的灰塵量跟記憶中那頭龍的巨大身軀規模幾乎相等。再與失去房間主人而悄然無聲的四周狀況一比，錯不了，這就是強龍的遺、骸。

俯視著失去魔石的怪獸下場，艾絲等人佇立在原地。

「……是不是我們以外的【眷族】打倒了強龍……？」

蕾菲亞小心翼翼地開口。

面對第一個可能想到的意見，蒂奧涅緩慢地搖頭。

「能夠來到這麼深層的小隊有限。我沒聽說有哪個【眷族】的遠征時期跟我們重疊。」

「……不只如此。」

艾絲小聲說著，蹲在化為小片沙漠的腳邊灰塵旁。

她伸出手撣掉灰塵，拿起埋在底下的某個物體。

「掉落道具沒有被回收……」

她取出的是一塊閃耀著金色光芒的部分翅膀皮膜。

「卡德摩斯的皮膜」。

即使打倒了這種龍，也不容易產生這種稀有的掉落道具。光是拿去換錢，就可以獲得足以替一支大規模小隊湊齊所有裝備的龐大資金。

每次探索迷宮都得花掉不少錢的冒險者，不太可能擺著這種上好戰利品不拿。

「呃，所以，這到底是怎麼一回事？」

「這裡曾經出現過什麼啦。實力足以殺死強龍，而且還不是冒險者的某種生物、、、邊請加。」

沉默降臨在四人之間。

提問的蒂奧娜與回答的蒂奧涅都不再開口，艾絲凝視著自己模糊倒映在金色皮膜上的臉龐。

蕾菲亞搓了搓她那纖瘦的上臂，彷彿代為道出大家的心聲。

「……我有不好的預感。趕緊回去吧。」

沒有人對蒂奧涅所言表示異議。

為了向芬恩傳達這裡看到的情況，她們收起了「卡德摩斯的皮膜」以及變色樹木的一些碎片。

正當艾絲等人展開作業時，拿著背包的蕾菲亞從裡面取出了瓶子，從低窪處汲取泉水。

原本泉水只要一湧出來就會被強龍喝光，所以泉水通常只能夠回收到一點，不過這次最麻煩的龍已經不在了。

看到瓶子一下就裝滿了冒險者委託指定分量的泉水，蕾菲亞表情複雜地栓上瓶蓋，將瓶子裝

進背包裡頭。

「不用跑兩處湧泉了呢。」

「是啊……」

她們離開窟室，順著原路趕回營地，這個時候蕾菲亞臉上勉強擠出苦笑。艾絲若有所思，眼睛看著前面點點頭。

就在前方，亞馬遜姊妹走在她們倆前頭，談論著那間窟室的慘狀。

「欸，妳怎麼看？」

「照常理來想，應該是其他怪獸下的手，可是……」

對於身旁妹妹的疑問，蒂奧涅話說到一半，欲言又止。

將湧泉周遭當成地盤的強龍在樓層內是數量稀少的「稀有種（rare monster）」，同時也是強悍的湧泉守衛。

牠的力量在第51層是最強的，甚至可以說，如果不把其他樓層出現的樓層主算進去，在目前發現的怪獸中，牠絕對是穩坐能力圖表（金字塔）頂尖位置的怪獸。

黑犀牛、畸形蜘蛛不管有幾隻都對付不了牠。

（……異常狀況。）

耳朵聽著蒂奧涅她們的對話，艾絲在心中默念自己主神經常說的口頭禪。

後來她們又走了一會，

「——啊啊啊啊啊啊啊啊啊啊啊啊啊啊啊啊啊啊啊啊啊啊！」

事情來得突然。

彷彿發自五臟六腑的淒厲尖叫傳到了艾絲等人耳裡。

那陣人類發出的淒慘哀叫足以讓人察覺到事情的嚴重性。叫聲在複雜迷宮裡面一再形成回音，從各個角度再三衝擊著鼓膜。這個熟悉的聲音讓艾絲等人猛然抬起頭來面面相覷，然後一口氣加速奔跑。

「剛才那聲音是！」

「勞爾……！」

憑藉著慘叫傳來的方向，再來就是直覺了。

艾絲等人強行擺脫現身的怪獸，在通道上拐過好幾個轉角，最後那個東西闖進了她們的視野當中。

「那是什麼啊！」

「蠕、蠕蟲……！」

蒂奧娜與蕾菲亞接連喊道，艾絲也瞪大金色雙眸。

是一頭巨大怪獸。

占據全身的色彩是黃綠色，鼓脹且看似柔嫩的綠色表皮各處有著色彩斑斕的紋路，異樣地刺

眼。無數的短腿形成了下半身，如同蕾菲亞呻吟說著，確實像是蠕蟲的形狀。上半身好像擱在長長的下半身上，像小山一樣隆起，沒有厚度的扁平器官——很可能是手臂——從左右兩邊伸出。前端有四條裂縫，有那麼一點像是手指。

就連長久探索地下城深層的艾絲她們都未曾見過這種怪獸。

——新種怪獸？

隨著前進而上下震動的怪獸，其巨大身軀與高達四M的天花板撞上好幾次，把天花板削掉好幾塊。橫向寬度也幾乎與道路兩端相等，看到牠那塞住通道往我方進逼的模樣，讓艾絲聯想到「戰車」這兩個字。

「團長！」

還有被怪獸緊追在後，被迫逃跑的芬恩等第二組小隊。

實力與艾絲她們不相上下的第一級冒險者此刻放棄戰鬥，背對怪獸拔腿狂奔。

蒂奧涅發出一陣近乎慘叫的呼喊聲。

「！」

最快採取行動的是蒂奧娜。

她橫眉豎眼，從艾絲她們當中一躍而出。

蒂奧娜跑過遭到追趕的芬恩等人身邊，砍向怪獸，試圖阻止敵人的進擊。

「別去，蒂奧娜！」

她不聽芬恩的制止，對上敵人。

面對殺到眼前的蒂奧娜，怪獸發出令人不舒服的「嗝啪」一聲，從可能是臉部的位置張開了口腔。接著以猛烈之勢吐出了大量液體。

紫色與黑色混合成大理石模樣的恐怖液體，不過蒂奧娜毫無困難地躲開了。她跳進對手的懷裡，用大雙刃砍向毫無防備的胴體。

「——！」

「！」

當怪獸苦悶地喊叫，破鑼似的啼叫聲轟然響起時，蒂奧娜的眼睛也驚訝地睜大。

從敵人的傷口當中迸發出跟剛才一樣顏色的液體，在她眼前飛散開來。

她扭轉脖子於千鈞一髮之際避開，只見一小滴液體沾到一根頭髮——「滋」的一聲，把髮絲溶解了。

一陣令人毛骨悚然的寒氣竄過全身，蒂奧娜用腳在地面一蹬，離開原本的位置。

「咦……！」

當蒂奧娜在後方著地的瞬間，她懷疑起自己的眼睛。

大雙刃一邊的劍身消失了。

不，不對，連大雙刃也溶解了。

刀刃埋在敵人的體內被那種體液侵蝕，不留一點殘渣。

眼睛旁邊的頭髮與大雙刃都在冒煙。盯著只留下溶解痕跡的劍身斷面，蒂奧娜頓時無言以對。

出乎意料的武器損毀。

「——啊啊！」

怪獸發出憤怒般的咆哮，再度從口腔中噴出液體。

蒂奧娜驚慌失措地用大動作閃避，艾絲她們也躲開了噴到身旁的紫色液體。

一道線狀液體竄過通道，轉瞬間將地面「滋」的一聲溶解了。

「我怎麼不知道牠會那樣的攻擊——！為什麼不先告訴我啊——！」

「芬恩有阻止妳啊，蠢女人！」

蒂奧娜仿效起芬恩等人，哭喊著加入逃跑陣容。並肩跑在她身邊的伯特一邊臭罵一邊吐槽。

蒂奧娜一行人以及怪獸。面對迅速逼近的景象，艾絲、蒂奧涅、蕾菲亞無言地妳看我我看妳，然後也照樣轉身，不約而同地拔腿就跑。

精銳集團所有隊員(member)竟然以最快速度逃之夭夭。

「那是什麼啊，芬恩！別開玩笑了！討厭，人家的武器啦——！」

「不知道。我們也是突然遇襲的。」

蒂奧娜兩眼帶淚地扔掉連刀柄都開始慢慢溶解的大雙刃，順便把還在冒煙的頭髮用力拔掉，

芬恩一邊逃跑一邊回答她。

他們跟艾絲一樣抵達了「卡德摩斯湧泉」，打倒了那頭龍後，在返回營地的途中遇上一群那

種怪獸，一時試著交戰，卻像剛才的蒂奧娜一樣失去武器，不得已之下只好選擇逃跑。

他簡潔地向大家說明。

「你說一群，那種怪獸不只那一頭嗎！」

「看仔細點好嗎。除了那頭大的以外，後面不是還跟著一堆。」

「唉噁——！」

「團長，你們有沒有受傷？」

「我們沒事。只有勞爾情況不太好。他被那種攻擊直接命中了。」

「得趕快讓他接受治療，不然性命堪憂！」

芬恩回答蒂奧涅的問題，接著扛著勞爾的格瑞斯也憂心忡忡地這麼說。

被扛在矮人寬闊肩上的人類青年，此時正發出陣陣黑煙與惡臭。他的雙手無力地下垂，不時發出「嗚，啊……」這類聲音沙啞的微小呻吟。皮膚與所穿的輕裝一起溶解，還變成了紫中帶黑的慘狀。

看到同伴悽慘的模樣，蕾菲亞臉色蒼白。

「咦，你們看……那頭怪獸在襲擊黑犀牛耶！」

回頭一看的蒂奧娜開始嚷嚷起來。

在艾絲等人已經通過的十字路口，黑犀牛從岔道出現，蠕蟲怪獸二話不說就發動攻勢。牠先用腐蝕液溶解黑犀牛的身體，使其動彈不得，然後再張開巨大嘴巴將其上半身一口吞下。

「除了我們之外，那頭怪獸就算是其他怪獸靠近也會有所反應並發動攻擊。」

「也就是完全不挑對象的意思嗎？」

「不，這就難講了。線索太少，無從判斷……不過我覺得牠似乎會優先攻擊怪獸。」

芬恩回頭看看，瞇細了眼睛。

蒂奧涅俯視著一頭金黃色頭髮飄動的他，從懷裡面取出木片。

「團長，其實在我們抵達之前，『卡德摩斯湧泉』已經遭人破壞。強龍變成了塵土，只留下掉落道具。這塊木片也是在該處撿來的。」

「嗯……這下確定了。想不到牠連強龍都能夠擊倒。」

芬恩接過樹木的碎片盯著瞧，做出了結論。

變色的木片跟潑到怪獸體液的物體都具有相同的腐蝕痕跡。

「會襲擊同類的怪獸喔。哼，這些鬼東西就是這樣……」

「不知是棲息在更深樓層的怪獸上來了，還是地下城產出新種怪獸……無論如何都很棘手啊。」

伯特不掩侮蔑之意，格瑞斯則是一邊揣測一邊嘆息。

每個人急促的腳步聲重疊在一起，在迷宮裡面迴盪，大家繼續漫無目的地逃亡。

「芬恩，那種怪獸有辦法打倒嗎？」

當大夥不停逃跑時，艾絲的這句話對周圍造成震撼。

同伴之間一時沉默以對。

面對跑在較前面的位置，只把臉轉過來對著自己的艾絲，芬恩頓了一會兒才答道：

「攻擊本身是有效的。不過，每下都得犧牲一把武器，就像剛才的蒂奧娜一樣。太不划算了。」

「……」

「要對付那麼多的群體更是亂來。」

「不過」，芬恩接著又說：

「魔法就不在此限。在這種狀況下或許很困難，不過要是能夠勉強爭取到詠唱時間，並施展足以殲滅群體的強悍魔法的話……」

、、、、、、、

芬恩的分析到此結束。

當他一說完，艾絲和在場所有人的視線都集中在某人身上。甚至連只剩半條命被扛著的勞爾都往她那邊看。

面對四周集中在自己臉上的視線，蕾菲亞「咦，咦？」地左顧右盼。

「！前面也來了！」

黃綠色巨大軀體從前方逼近。

在蒂奧娜發出聲警告的同時，芬恩也做出指示。

「所有人衝向右邊岔道！」

艾絲等人轉換方向，讓身體鑽進唯一剩下的通道。

她們形成一列或兩列，衝進比方才通道還要狹窄的單行道。

「蒂奧涅，手邊的武器、道具還有多少？」

「咦……啊，是，通通都沒用到。除了蒂奧娜的武器以外都沒事。」

「好，把武器拿給格瑞斯他們。前方的窟室是死路，妳帶著勞爾退到深處，用道具進行治療。」

聽到小人族領袖竟然不看地圖就把規模比都市還大的第51層構造完全記在腦海裡面，蒂奧涅一面驚嘆，一面即刻照著指示行動。

芬恩等第二組的隨身物品跟支援者勞爾一起被溶解，武器全毀。於是他們從蕾菲亞揹著的長筒形背包中取出預備的劍、匕首並裝備起來。

「喂，拿這種東西給我又能怎樣！反正還不是會被溶掉！」

拿著不是自己擅長武器的反曲刀，伯特大吼大叫。

芬恩舔了一下自己右手拇指的指腹。

「我的拇指在發癢。——恐怕會來吧、、、。」

他拋下一個意味深長的喃喃自語，很快就看到了寬敞的死巷。

那是一間正方形窟室，出入口只有他們現在走的這條通道。

當所有人踏進那個空間，三方向——正面、左邊、右邊——的壁面全都產生了龜裂、、、。

「！」

伯特等人頓時臉色大變。

他們見得多了。那是怪獸在迷宮中誕生的前兆。

不僅如此，規模還很大。顯而易見地，怪獸即將在窟室的各個角落現身。

「怪物之宴（Monster party）」。

怪獸突發性的大量湧現。只有通道口方向除外，構成了ㄇ字形的包圍網。將冒險者推入絕望深淵，惡毒的迷宮陷阱。

像是早就算計好了，地下城發動了不講理的陷阱。

「伯特、格瑞斯、蒂奧娜！一邊保護勞爾他們一邊驅逐敵人！那個新種由我跟艾絲來——大家上！」

芬恩彷彿早就料到會有這個狀況並下達命令。

獲得方針而免於混亂的伯特等人一口氣奔向牆壁企圖迎擊敵人。

就像指令與他們的行動產生連鎖反應一般。

三十頭以上的黑犀牛發出凶惡的墜地哭聲，突破壁面現身了。

「蕾菲亞，妳退到後方開始詠唱。這場戰鬥成敗全看妳了，動作快。」

「……！我明白了！」

蕾菲亞也用力點頭，接下了這個重責大任。

那雙蔚藍眼眸擺脫了緊張過度的陰影與迷惘，接著她退到後方。

在沒看她背影的情況下，芬恩最後站到了金髮少女的身旁。

「艾絲。」

「我明白。」

艾絲點頭回應芬恩的眼神。

她緊盯著響起猛烈地嗚的通道口發出一聲。

「【甦醒吧（Tempest）】。」

用超短詠唱文為觸發因子，發動了「魔法」。

「【風靈疾走】。」

風形成了。

能用肉眼辨識的大氣流動像起舞般圍繞在艾絲的身旁。

宛如沙金般綻放耀眼光輝的金髮乘著風飛揚起伏。

【風靈疾走】。

艾絲唯一能用的魔法。

讓風力纏繞身體、武器加以保護，藉此輔助攻擊、提升速度，是「風」的附加魔法（enchantment）。

在獲得足以抵禦迷宮凝滯空氣的沁涼之風加持下，艾絲拔出了佩在腰際的劍，不過並沒有裝備起來，而是說了「芬恩。」，把劍交給了身旁的少年保管。

「『不壞屬性』是嗎……我不是有意懷疑，不過妳覺得會有用嗎？」

「應該……」

「真令人不安呢。」

芬恩苦笑著，握住跟自己個頭差不多高的〖絕望之劍〗，取而代之，將備用的單手劍交給了艾絲。

艾絲接過了劍，在轉身向前之時，有如戰車的龐大身軀也在同一刻破壞了通道出入口撞了進來。

「——！」

怪獸發出有如破鑼嗓音般的吼叫，沒有眼睛的臉孔轉向艾絲等人。

讓人直覺感到噁心的黃綠色身軀從胴體處不斷灑出體液，在拖行身體前進的同時將腳邊地面一併溶解。

牠是蒂奧娜以武器為代價砍傷的那頭大型怪獸。

「如果無法用風防禦那種腐蝕液，就不要勉強。只要能夠爭取時間讓蕾菲亞做好準備就行了。」

「嗯。」

「也許不需要我擔心吧。」

蠕蟲型的怪獸也陸陸續續闖進窟室。

體型構造有大小之分，有的跟剛才那頭一樣大型，也有跟芬恩差不多大小的個體。

蒂奧娜她們已經開打了，而艾絲則是面向駭人的怪獸大軍揮出手中的劍，發出「咻」的一聲。

身旁的風也跟著晃動。

「——我，先去了。」

用腳在地上一蹬。

掀起爆炸波般的巨響與沙塵，艾絲的身影消失了。

藉由全身附加的風力，獲得了猛烈的加速度。

艾絲一如字面所示化身為狂風，一直線衝向怪獸大軍。

「！」

只有最前面的那頭大型來得及對高速衝刺做出反應。

怪獸猛然張口，不管對方已經逼近身旁，照樣吐出腐蝕液。

艾絲從斜下方用劍一揮。

以纏繞的風勢為盾，神速一閃彈飛了紫色液體。

敵方不能防禦的攻擊被銀色軌跡一刀兩斷。

「——」

肉搏戰。

她迅速穿越斬裂的腐蝕液之間，不給敵人下一個行動機會，艾絲鑽進對方懷裡。

面對僵在原地的怪獸，她從肩膀處斜砍下去。受到風保護的劍縱使深深砍入胴體也沒有溶解。

體液霎時間從傷口中飛散，不過旋繞在艾絲身旁的氣流將它們通通吹開。腐蝕液無法穿透攻守一

體的風之鎧甲。
金色的兩眼瞇細了。
只見握住劍柄的右手一晃。
——「艾絲．華倫斯坦」。
赫赫有名的最強戰士之一，金髮金眼少女的本名。
名列迷宮都市歐拉麗首屈一指的劍士，第一級冒險者。
其別名為【劍姬】。
「——！」
毫不留情的連續斬擊。
她用驚人的速度、銳利度與劍術對著怪獸亂砍一通。
遭到砍殺的怪獸發出慘叫，渾身上下噴出大理石模樣的體液，無力地倒下。
也許是身體失去平衡的關係，只見黃綠色表皮膨脹得越來越鼓，然後爆炸開來。
「好危險！」
「喔喔喔喔喔喔喔！」
腐蝕液像炸彈般往四面八方飛散。
體液甚至還噴到交戰位置距離艾絲他們有一段距離的蒂奧娜身旁，被液體濺到的黑犀牛發出哀嚎、滿地打滾。

「真是，打倒之後還會爆炸啊。」

嘆著氣的芬恩也靠近了蠕蟲型怪獸。

大小稱得上中型的對手扭轉軀體，用牠那類似魔鬼(魟魚)的扁平大手臂企圖撂倒芬恩——不過芬恩活用自己矮小的體格輕鬆避開。

他一轉身，讓纏腰布隨之飛舞，以近似趴在地上的姿勢縮短敵我間距，用艾絲的〔絕望之劍〕砍向牠的疣足。

「很好，行得通。」

他漂亮避開隨著怪獸慘叫迸出的體液，看著沒有溶解的劍點點頭。

暴露在體液中的〔絕望之劍〕劍脊在冒煙，不過劍刃沒有一點缺口。芬恩對連怪獸的腐蝕液都能承受的特殊武裝笑了，施斬出下一招斬擊。

他只針對那一堆短腳為目標，兩隻、三隻地切斷。

失去側邊一半的疣足，怪獸失去平衡而倒向地面。

儘管不及享有魔法恩惠的艾絲，不過芬恩的動作仍舊靈敏、高超，最重要的是沒有任何多餘部分——即採取行動時的猶豫。這是為了打倒比自己巨大的對手所學會的智慧與勇氣。

小人族少年專心剝奪敵人行動能力，在戰場上面奔馳。

「！」

至於艾絲，則是一再擊倒怪獸。

藉由【風靈疾走】纏繞旋風的高威力斬擊，只用一兩刀便能夠葬送敵人。

怪獸無法擋下銳利度大增的劍。腐蝕液也被劍的風壓劃開，有時候甚至還被彈了回來，溶解了自己的身軀。

追根究柢，怪獸的攻擊根本追不上艾絲有如疾風般的身手。

牠們一再追丟她的身影，伸出的手臂被擺脫，擦身而過時又遭到斬擊。

化為一陣風自由穿梭在戰場上的少女實在是太快了。

「艾絲！」

「！」

她與從正面而來的芬恩聯手，夾擊特別大的一頭怪獸。

當敵人被他砍斷腳而站不穩時，艾絲立刻騰空躍起，砍向怪獸。

揮砍到底的劍傳來了一陣輕微的硬質觸感。

她的一擊漂亮命中了「魔石」，將怪獸化為一堆塵土。

「勞爾，喏，振作點！」

「沒辦法，蒂奧涅小姐，小的已經不行了，小的快死了。」

「你敢再這樣胡說八道，我就立刻送你上西天！你不趕快完全恢復，我怎麼去幫團長啊！」

「啊，小的錯了，不要殺小的啊……！」

聽著身後蒂奧涅讓勞爾躺在地上，並用靈藥（回復藥）與解毒藥治療，同時還開口怒罵的聲音，她眼觀整個戰局。

從通道口現身的怪獸漸趨減少。

儘管艾絲與芬恩的氣勢壓過敵人，不過敵眾我寡的情勢依然未變，還不能夠大意。

一旦戰事拖長的話，天秤就會傾向怪獸那方。

「【高傲的戰士啊，森林的射手隊啊。進逼的掠奪者在前，拿起你們的弓。回應同胞的聲音，搭箭上弦】。」

艾絲等人在遙遠的前方持續奮戰，蕾菲亞則是在後方進行詠唱。

她的眼睛燃燒著使命。當然也有緊張、畏怯，不過她偷偷仰慕的那位少女託付給她的一句話比這些更有分量。

「下次要幫助我們喔。」。

她必須回報。這次，蕾菲亞必須回應她們的奮鬥。

她要用這個「魔法」拯救她們。

蕾菲亞杏眼圓睜，堅定不移地發出自己的聲音。

「【點起烈焰吧，森林的燈火。命你放箭，精靈的火矢】。」

隨著清澈悅耳的瓊音不斷念誦，腳下開展的魔法陣光輝也不斷增強。

基本能力衍生出來的發展能力「魔導」。

這是只有窮究魔法者才能夠透過【升級】學會，類別不同於「技能」的魔力特化項目。魔法陣能夠在使用魔法時帶來威力強化、效果範圍擴大、精神力效率化等各種補助，是獲得了「魔導」能力的高階魔導士證明。

架構出來的多重圓環，還有體系複雜的紋路。

不斷攀升的濃金色光芒照亮了蕾菲亞的美麗容顏。

「【如雨驟降，火燒蠻族】。」

念完最後一段詠唱文，魔法威力爆發性地增強了。

蕾菲亞吊起眼角，目光如炬。

「我要施展了！」

在呼喊的同時瞄準敵人，除了勞爾、蒂奧涅待命的後方外，範圍包含整個窟室。

看到艾絲、芬恩、蒂奧娜等人皆已撤退，蕾菲亞舉起法杖，施展了魔法。

「【齊射火標槍】！」

數不盡的火雨連發。

熊熊燃燒的箭頭形魔力彈在空中畫出弧線，殺向怪獸。發出巨大燃燒聲、風切聲的箭頭命中、刺穿敵人，引發大火，沒有命中敵人的箭矢炸碎地面，掀起了岩盤。

數量多達幾百幾千的炎矢甚至吞沒了怪獸們的慘叫。稱為轟炸也不為過的廣範圍魔法將窟室染得通紅，瞬間營造出一片火海。

黑犀牛與幼蟲型的怪獸都被燒得連灰燼都不剩。

「妳看，果然有用嘛！一發耶，一發！蕾菲亞超強的！」

「我、我是用上了所有精神力，所以那個……」

「太大手筆了吧，里維莉雅也是，這些精靈喔……可惡，我毛都燒焦了。」

「哇哈哈，這麼大的魔法看了真是爽快。」

圍成三角形保護蕾菲亞與蒂奧涅等人的蒂奧娜、伯特、格瑞斯都回來了。魔法範圍外的後方敵人都被格瑞斯解決了。

蒂奧娜正在連聲稱讚將敵人一掃而空的蕾菲亞時，艾絲、芬恩也回來了。

「……謝謝妳，蕾菲亞。」

「啊……是！」

艾絲的表情雖然缺乏感情，但的確露出了一絲笑容。

對自己展露的小小笑容與這番話，使得蕾菲亞睜大雙眼，然後立刻感動萬分地笑逐顏開。蔚藍色的眼睛變得濕潤，她悄悄擦拭了眼角。

一時之間，現場呈現一片慶祝得勝的氛圍。

「……」

「團長？怎麼了嗎？」

火花還在飛舞，蒂奧涅走向沉默不語的芬恩身邊。

在視野的角落，撿回一條命的勞爾正摸著肚子。

「逃進這間窟室前……就在我們差點遭到夾擊時，怪獸們是從前方來的。而那條路，是能夠通往第50層的正規路線。」

「……不會吧。」

「希望只是我杞人憂天……但也不能這麼樂觀吧。」

芬恩彷彿有種不祥的預感，俯視著自己右手的拇指。

他舔了一口指腹，抬頭看著驚訝的蒂奧涅。

「叫艾絲她們集合。我們全速返回營地。」

連接第50層與第51層的是一道岩壁斜坡。

第50層西側的牆上開了一個大洞，連著一條幾乎等於懸崖的陡坡。在前往第51層時只要一口氣跳下去就可以了，不過回程時得花點工夫往上爬。

岩壁到處附著的黃綠色黏液，讓所有人意識到大事不妙，艾絲等人都不用手，而是用連續跳躍的方式衝上坡道。

跳出大洞後，就聽見人群的呼喊聲，以及驚天動地的爆炸聲。

「營地……！」

蒂奧娜跑過灰色森林，同時對野營地方向升起的黑煙做出反應。

艾絲等人更加快速度，跑過大樹林。

「里維莉雅，還有大家！」

衝出森林，眼前是一片開闊的平地、搭起野營地的平坦岩台，以及平貼在岩石上的巨大蠕蟲群。

怪獸用牠們那一堆腳黏著岩台往上爬，對著在岩台上進行防衛的里維莉雅等人噴灑腐蝕液。在崖邊阻擋腐蝕液的團員們將立刻開始溶解的盾牌一面面丟棄。

「放箭！」

「這是最後一批了！」

「無所謂，射！」

在里維莉雅的號令下，幾名弓箭手朝著爬上來的怪獸射出僅有的箭。雖然箭矢一命中就因為腐蝕而折斷，但受到攻擊的怪獸們也一個不穩，腳離開了岩壁往下墜，牽連著幾隻同伴一起摔到地上。

「還有那麼多……！」

「營地還沒有被包圍，這算是不幸中的大幸吧。」

蕾菲亞發出慘叫，一旁的芬恩冷靜地觀察狀況。

那種怪獸似乎智能偏低，排成粗大的一列，試著從同一方向爬上岩台。多虧進攻位置集中在一處，留守的其他團員才能在里維莉雅的指揮下防衛據點直到現在。

「！」

面對同伴的危機，艾絲衝了出去。

她一個人向前衝，從旁對怪獸團隊發動奇襲。

艾絲發動魔法，讓風纏繞己身，揮劍猛砍。

「艾絲！」

她解決了一頭怪獸，造成滿場轟動。

里維莉雅從岩台上喊她，其他團員的臉上都出現一線希望之光。

在眾人驚訝的俯視之下，艾絲開始與怪獸們交戰。

「我們上！」

「嗯！」

「抱歉了，團長！」伯特、蒂奧娜、蒂奧涅隨即跟進。

蕾菲亞與勞爾慢了一拍，也追在其後。

「芬恩……」

「事已至此，要阻止艾絲他們是不可能的了。格瑞斯，拜託你保護蕾菲亞與勞爾。」

「嗯，知道了。」

看到血氣方剛的團員們不等指示就向前衝，芬恩也無可奈何。

不過，同時他覺得這樣也好。

雖然在地下城講求的是知識與經驗，隨時謹記理性行動，不過以這次的情況來說，對他們的熱情潑冷水也未免太不識趣了。

他們受到滿腔怒火與熱血推動而展開逆襲，想必比一百項指揮能夠更有效地、有用地、強硬地扭轉現今局勢吧。

雖然他們血氣過剩——總是容易失控——仍令人放心不下。

看著早已用各自方式大顯身手的他們，芬恩不再多想，裝備起劍來。

「開始反擊吧。」

如一根楔子深深打入怪獸大軍，艾絲的突擊讓戰鬥局勢有了一百八十度轉變。

對於來勢洶洶斬殺同胞的女劍士，本來往岩台上爬的怪獸都轉換方向，企圖以數量壓潰對手，襲擊而來。

這個時候伯特等人即刻參戰，再加上蕾菲亞的魔法攻擊，怪獸瞬間失去了秩序。

每次只要有敵人接近，怪獸就一一做出反應；冒險者們則是四處移動，擾亂怪獸的注意力。

敵我雙方混在一起，轉眼間形成了混戰狀態。

「欸，還有武器嗎——！」

蒂奧娜一邊鑽過怪獸的攻擊，一邊對岩台上面高聲呼喊。

隔了一拍後，岩石頂端上傳來同伴的回答：「呃，是，還有！」

「那給我長槍，長槍！麻煩來兩把！」

「瞭、瞭解！」到了岩台時，她要的武器從頭頂上扔下來，蒂奧娜笑著接住。

雙手握著約莫三M的長柄武器，蒂奧娜趕向怪獸那邊，打算再大鬧一場。

「喂——，我在這裡——！」

她蹦蹦跳跳地穿梭在怪獸之間挑釁。

幼蟲怪獸們對到處亂跑的少女射出了腐蝕液。

「嘿！」

「——！」

她輕鬆躲開腐蝕液，馬上聽到怪獸們的慘叫。

周圍全是怪獸，只要故意跳進怪獸中引誘牠們射出腐蝕液，就可以輕輕鬆鬆讓牠們自相殘殺。

蒂奧娜按計劃減少了周遭怪獸的數量，嘴角獰猛地揚起，將手中長槍刺向剩下的個體。

「看我的——！」用上渾身力氣的一記突刺。

表皮遭到刺穿的反作用力令怪獸的巨大軀體離開地面，瞬間懸空。

長槍的攻擊距離使得從傷口中飛散的體液噴不到蒂奧娜。她感覺到長槍刺穿了怪獸體內的魔石，發出歡呼，怪獸的龐大身軀頓時化為塵土。

「下一隻——！」

扔掉前端溶解的長槍，蒂奧娜鎖定了另一個目標。

差不多斬殺了二十頭怪獸吧。

死屍與腐蝕液散亂一地，艾絲在一個角落讓雙腿歇息，稍稍喘了口氣。這個時候，在她身旁響起了「唰」的著地聲。

回頭一看，伯特晃著他的尾巴、灰髮朝著自己走來。

「喂，艾絲。一半以下就夠了，來點風（那個）吧。」

「……」

艾絲明白他的意思，視線朝向他的腿。

覆蓋到膝頭的金屬靴。不是防具，以武器性能見長的白銀長靴有著傲人的銳利曲線，給人一種「不僅細長優美，而且還堅固耐用」的強烈印象。小腿中心鑲嵌著黃玉。

艾絲將手輕輕伸向長靴。

「風啊。」

接收到艾絲的意志，搖曳的風勢轉瞬間被吸進黃玉當中。黃玉發出光輝，將風勢傳送到整雙

長靴上。

伯特的雙腳跟艾絲一樣纏繞著氣流。

【赫菲斯托絲眷族】製造的第二等級特殊武裝【弗洛斯維爾特】。

這種特殊武裝能夠吸收外來的魔法效果，並暫時附加特性攻擊力。再配上金屬靴本身的打擊力，威力可以獲得大幅度提升。

武器素材是魔力傳導率優秀的精製金屬「秘銀」。

白銀金屬靴吞噬了艾絲的魔法，獲得風的力量。

「謝啦。」

堪稱美形的五官因不輸給蒂奧娜的狂暴笑容而扭曲。

「咚」的一聲，伯特利用風壓踹開地面起跑。

「——看我踹死你們！」

他急速狂奔，隨意對敵人施展飛踢。

從頭頂往下踢的暴風蹴擊打碎了怪獸的臉孔，跟艾絲的劍一樣吹散體液，不受侵襲。這下子不用為敵人棘手的特性而煩惱了。

像是要發洩一路累積的鬱悶，他用猛力腳刀招呼每一隻看到的怪獸。

盡情蹂躪敵人的伯特發出了咆嘯。

最後一把反曲刀溶解了。

她躲開噴出的腐蝕液，著地。不假思索地將手伸到腰部，但卻抓不到任何東西。

飛刀射盡了。武器都用光了。

「……」

（這些傢伙……）

面對比想像中還難纏的蠕蟲型怪獸，蒂奧涅眉頭緊皺。

捨不得武器損失，想在關鍵時刻給對手致命一擊，敵人的耐久力卻挺高的，剝奪不了行動力。怪獸發出刺耳叫聲，同時受到的裂傷也迸出體液，執拗地追著蒂奧涅跑，這點更加劇了她的煩躁。

學親妹妹（蒂奧娜）引誘敵人，小家子氣行動的自己讓她覺得噁心。艾絲就算了，那頭臭狼也不考慮一下別人的心情，只會哄笑著不斷屠殺怪獸，這點更是惹她生氣。真想把他撕成碎片，磨成爛泥。

總之得先補充武器才行，不，或許該去掩護蕾菲亞他們。儘管不太擅長，不過既然如此就詠唱魔法——

蒂奧涅本來還想保持理性，然而到了這時候，她發出「嘖！」的一聲咋了舌。

「——麻煩斃了。」

她的面具剝落了。

蒂奧涅暴露出部分本性，一口氣衝了出去，從正面殺向怪獸——使出一記硬上蠻幹的右勾拳。

只聽見女生不該發出的「砰轟」衝擊聲，拳頭打穿了敵人身體。

埋在怪獸體內的手臂開始溶解。傷口泉湧的腐蝕液侵襲蒂奧涅的全身。褐色肌膚遭到燒灼。遮蔽上半身的少許衣服也溶解掉落。

這一切蒂奧涅完全不放在心上，她橫眉豎眼地繼續將右手往內鑽，在怪獸的尖叫當中，將抓住的魔石「噗茲噗茲」地一口氣拔出來。

怪獸痛苦地發抖，最後化為塵土。

蒂奧涅對冒著黑煙、發出惡臭的自己吐了一口口水，然後又重複了兩三次相同的行動。

她不顧自己的身體，只將怪獸一頭頭打死、踢死。

「蒂、蒂奧涅小姐……」

「……蕾菲亞，有沒有萬靈藥(elixir)？」

與蕾菲亞會合時，蒂奧涅已經像是半身沾滿了汙泥。

被腐蝕液當頭澆下，烏黑的美麗長髮都燒爛了。小麥色肌膚如今變成了暗沉的紫黑色，還在講話的時候邊發出聲音邊溶解。

右眼緊閉，還能用沒事的左眼勉強看著對方。臉色蒼白的蕾菲亞急忙取出裝在小瓶子裡的萬靈藥，幾乎是用潑的倒在她全身上下。

「蒂奧涅！」

「團長……」芬恩跑來她們身邊。

蒂奧涅用手抓著拍掉腐蝕液，用掉好幾瓶萬靈藥，這時身體才漸漸回復原形，她尷尬地扭了

扭身子。失去衣服而展露無遺的豐滿雙峰抖動著。

芬恩少見地豎起眉毛，滿臉怒氣，但他大嘆了一口氣，強忍住怒氣。

「不要亂來。」

「啊……」

芬恩解開穿在身上的纏腰布，硬塞似地拿給了她。

他指指蒂奧涅那一絲不掛的上半身，意思是叫她遮一遮。

蒂奧涅接過纏腰布抱在胸前，雙頰泛紅。

「團長……！」

「等度過這次難關，再找妳好好談談。給我做好心理準備。」

「是……！」

蒂奧涅用感動萬分的少女眼神盯著芬恩不放，他轉過身去忍住嘆氣，眼神顯得疲憊不堪。蒂奧涅身旁的蕾菲亞也頻頻後退，跟她保持距離。

「為什麼蒂奧涅小姐中了腐蝕液（那個）還沒事啊……」

「是你太沒志氣了。」

「對、對不起……」

「唔，來啦。」

看了蒂奧涅她們後，格瑞斯的回答令勞爾不由得道歉。格瑞斯一邊保護他一邊戰鬥，輕而易

舉地拔起隨著爆炸聲而陷進地面的武器。

那是從岩台上扔下來的備用戰斧。他將超重量武器扛在肩上，讓身上重裝披掛的披風隨風飄揚，接著用切削地面的氣勢將斧頭一揮。

「哼！」

順著戰斧挖掘地盤的角度，岩石碎片的散彈打向敵人。

力大無窮的矮人才能夠施展的飛行武器打穿了怪獸的身體，或是將其削成肉片。

「【終末的前兆啊，皚皚白雪啊。面臨黃昏時刻，捲起狂風吧】。」

俯瞰著艾絲等人奮戰的光景，好幾道詠唱層層重疊。

在廣大的岩台之上，被怪獸襲擊而受創的野營地。聚集在其中能將戰場一覽無遺的岩石地，以精靈團員為主的魔導士們準備發動同時砲擊。

「【封閉的光明，結凍的大地。漫天吹雪，三度嚴冬——吾名為阿爾弗】！」

站在前頭的里維莉雅詠唱完成，成為了開端，魔導士們魔法過程陸續大功告成。許多魔法陣展開，魔力的連續就像在說「立刻退散」，對在下方戰鬥的艾絲等人敲響警鐘。

第一級冒險者們像小蜘蛛般散開，結束了與怪獸的戰鬥，脫離原位。

「【狂喜・芬布爾之冬】！」

壯烈的支援射擊覆蓋了戰場。

冰、火、雷。多種攻擊魔法如雨霰般降下，擊中大地。

怪獸們噴濺著體液被打個粉碎，或是燃燒、或是觸電。接二連三發生無數次的爆炸，魔法的殘渣在周遭飛舞。

怎麼樣！看到沒！魔導士們對著將近毀滅的怪獸大軍發出此起彼落的叫囂。里維莉雅瞥了一眼興奮莫名的她們，悄悄地嘆了口氣。

幾小時前遭到猛襲的野營地被害狀況嚴重。除了物資的損失、消耗外，最大的問題是很多團員初次碰到那種無法防禦的腐蝕液，全都受了重傷。徹底防禦的方針反而造成弊害。

也因為瞬間擴大的混亂，里維莉雅只能夠專心指揮，沒能自己一馬當先使用魔法——直到剛才都無法轉守為攻。

她靜靜地嘆息，覺得受任留守的自己真是沒面子。

「總而言之，大致上都解決了吧……」

她從岩石地邊緣探出身子，俯瞰戰場。

方才的支援射擊成了最後一擊。剩下的怪獸也被艾絲他們殲滅得差不多，黃綠色團塊寥寥可數。里維莉雅跟芬恩一樣，也對蒂奧涅他們不擇手段的戰鬥方式感到頭痛，不過她已經懶得管那麼多，決定把麻煩事都塞給少年領袖處裡。

（不過，那些怪獸究竟是……）

剛才將物資（貨物箱）推到崖邊，照蒂奧娜他們的要求將武器扔下去的支援者們此時都手拉著手分享喜

悅，但一旁的里維莉雅卻陷入沉思。

看到艾絲他們擊退怪獸的技巧，可以想見他們在第51層一定也遭到相同怪獸的襲擊。初次目睹的新種怪獸大舉入侵安全樓層，面對這樣的詭異行徑，里維莉雅想從中看出以往未曾有過的不協調感……但她立刻搖搖頭。再想也沒用。現在有其他事情該做。

還得派些人員治療傷患呢，她的意識飄向戰後處理，正要轉身走開——突如其來地，那雙翡翠色的視線停在視野深處的一點上。

「那是什麼……」

薄薄的嘴唇無意識吐出了這句喃喃自語。

「結束了——！」

艾絲砍倒最後一頭怪獸後，除了她們以外，再也沒有其他會動的東西。

看到怪獸倒地的蒂奧娜歡欣鼓舞，解除了魔法的艾絲俯視著握在手裡的單手劍。

不同於交給芬恩保管的愛劍，劍刃已滿是缺口，磨損到隨時可能折斷。它承受不了艾絲的劍技，更無法承擔風（風靈疾走）的效力。

她的魔法雖然好用，但缺點是會對武器、防具造成重大負擔。

陣陣痠痛的整個身體像平常一樣加以忽視。

「給我們找麻煩……留在營地的傢伙們沒事吧。」

「哎唷，伯特，你在擔心里維莉雅他們喔？好難得喔！」

「妳很吵耶，要是他們沒守住東西，我們怎麼從深層（這裡）回去啊！妳別搞錯了！」

蒂奧娜與伯特又按照慣例開始拌嘴，氣氛也輕鬆了一些。

蒂奧涅黏著芬恩不肯離開，格瑞斯拍拍一跌坐地上的勞爾的背，蕾菲亞則是對著艾絲笑。所有人都平安無事，他們原本的緊繃表情也逐漸放鬆開來。

艾絲東張西望，看過同伴的身影，想確認野營地的狀況，正要朝著岩台方向轉過頭去時。

下個瞬間。

「——！」

傳來一陣聲響。

一次折斷樹木，從遠方傳來的破碎聲。

所有人都轉頭仰望那個方向。大家各自重新裝備武器，再度進入應戰狀態。

樹木的哀嚎依然形成回音。岩台上面的里維莉雅等人想必已經在高台上面看見了聲音的真面目，他們的沉默彷彿失了聲音般的靜寂，引起了擺好架勢的艾絲等人感到不安、焦急。

不知道等了多久。

也許沒有花上太多時間。

艾絲等人不敢大意，注視著聲音來源的方向，最後，那個終於出現在他們的視野當中。

「……難道那也是從樓下來的嗎？」

「如果一邊破壞迷宮一邊前進的話……或許勉強可行？」

「少說傻話了……」

亞馬遜姊妹又驚訝又無奈的對話響遍了悄然無聲的現場。

約莫有六M吧。

比起剛才交戰過的大型怪獸，這頭個體整整大了一圈。

黃綠色軀體與扁平狀手臂。外觀繼承了蠕蟲型怪獸的形狀，不過整體造型有很大的不同。

「人型……？」

蠕蟲般的下半身依然不變。只是有如小山般隆起的上半身有了光滑的曲線，如同人類的上半身。

既像魔鬼魚又像扇子，沒有厚度的扁平上臂左、右成對，各有兩片。後腦杓垂下好幾條管狀器官。

黃綠色肌膚就像倒上了色彩斑斕的顏料，全身的顏色毫無秩序可言，看起來就像是遭到來路不明的劇毒侵蝕。

濃厚色彩一路沿伸到臉孔部分，臉上沒有鼻子、眼睛、嘴巴，只是輪廓較細，讓人聯想到女性。

然而，大幅隆起的腹部卻糟蹋了所有女性要素。要說是孕婦，那肚子又缺乏渾圓線條，而且實在

太過醜陋，呈現紫黑色。

「要是打倒這麼大一頭……」

——將會有大量腐蝕液飛濺四周。

看到能夠跟樓層主匹敵的巨大身軀，還有彷彿累積了滿滿體液（某種東西）的黑色腹部，勞爾感到驚訝不已。

回想起至今的戰鬥，蠕蟲型怪獸的身體大多會在氣力耗盡的瞬間爆炸。要是那頭怪獸在死亡之際也將內藏體液全部噴灑出來的話……

就算能夠擊敗牠，附近一帶的所有人也得陪葬。

每個人腦中都想到了最壞的情況。

「那麼巨大的身軀，想只針對魔石攻擊恐怕也很困難啊。」

「而且根本不知道埋在哪裡好嗎……」

格瑞斯抬起了壓得低低的頭盔，伯特則是一臉苦澀地咒罵。

怪獸破壞著灰色樹林，終於露出全貌，在與艾絲等人隔著一段遙遠的距離停了下來。

從正面重新一瞧，那模樣像是半人半馬（肯陶洛斯），不，或許比較接近半人半蛇（拉彌亞）。

一行人與巨大的女體型怪獸隔著平地面對面。

「……」

女體型怪獸緩緩動了起來。

就像引誘心愛之人入懷那樣，那四片扁平手臂柔和地張開。

光芒飛舞。七色的粒子群。

鱗粉，或者是花粉。色彩斑斕的微細光粒飄向艾絲等人面前。

剎那間，他們的背脊打了冷顫。

第一級冒險者們在直覺的催促下逃跑似的離開原位。

不到一瞬間，無數爆炸光輝接連閃爍。

「呀啊啊啊啊啊啊啊啊啊啊啊！」

「唔……！」

地面連同散布剩下的腐蝕液一起被炸碎。蕾菲亞的尖聲慘叫響遍四周，驚人的熱氣撞擊著臉頰。

那才不是花粉那種小玩意。

散布在空氣中的每一顆極小粒子都是恐怖的炸彈。

在大量湧起的煙塵中，遭到轟開的艾絲等人重整態勢。

「所有人撤退。」

芬恩向大家宣布。

許多雙眼睛赫然轉向芬恩，他仍然提高警戒緊盯著女體型怪獸。

「迅速放棄營地，帶著最低限度的物資離開現場。也要告訴里維莉雅他們。」

「喂，芬恩！你想逃嗎！」

「要放著那頭怪獸不管嗎！」

伯特與蒂奧娜極力爭辯。身為第一級冒險者的矜持，更重要的是作為迷宮都市最大派系（洛基眷族）的驕傲與責任，不允許他們放任眼前的怪獸不管。

那頭怪獸如今出現在這個安全樓層，今後如果牠繼續往上爬，屆時一定會造成許多冒險者犧牲。

「我也是情非得已。可是，要除掉那頭怪獸，還要將受害程度壓抑到最小程度的話，就只有這個辦法了。抱歉，近是說些陳腔濫調。」

他似乎對自己即將下達的命令厭惡至極。

芬恩變得面無表情，轉向金髮金眼的少女。

「艾絲，打倒那頭怪獸。」

就妳一個人，小人族少年抬頭看著她的臉說。

「請等一下，團長！」

蕾菲亞比誰都先哀叫起來。

蒂奧娜等人也立刻要上前追問——突然一陣轟炸。

女體型怪獸有動作了。

牠張開手臂，並蠕動著那一堆疣足開始前進。

「……沒時間了。勞爾，打暗號叫里維莉雅他們撤退！」
「欸，等等啦，芬恩！為什麼讓艾絲一個人去！我也要去！」
「怎麼能讓女人保護屁股啊，玩笑開大了！」
「團長，我也要請求您。請重新考慮吧。」
蒂奧娜等人差點被吹飛，但仍然不死心地爭辯，然而……
下一句話使他們再也無法反駁。
「不要讓我說第二次。動作快。」
語氣中隱含著冷酷暴君般的壓力。
再也沒有人反抗這名矮小的少年。
蒂奧娜等人都有過親身經驗，知道芬恩一旦變成這樣，誰來講都沒用了。
年輕團員們低垂著頭，或是強忍著懊悔，開始準備撤退。
「……至、至少，至少讓我做掩護吧！」
留下蕾菲亞一個人，直到最後還在哀求。
不過有人從背後抓住她纖細的肩膀，輕輕將她拉回。
「蕾菲亞……我不會有事的。」
「——」
艾絲與蕾菲亞擦身而過，走向前去，溫柔地推開了蕾菲亞的胸口。

結果最後還是被她一把推開了。

實力過於強悍的她疏遠了蕾菲亞。

「……」

精靈少女一瞬間凍結，然後眼角滲出淚水，追在蒂奧娜他們的身後而去。

艾絲默默地看著她跑遠的背影，然後立刻轉向前方。

「抱歉，艾絲。」

「不會。」

身為派系的領袖，芬恩有時得下達無情的命令，但很難得會在這種情況下道歉。

大概是想到半天前拿來教訓艾絲的責任論調與現在的指示產生矛盾，讓他自己都覺得無法接受吧。程度大到讓他在只剩下兩人時忍不住像這樣道歉。艾絲也諒解他的立場，因而搖搖頭。

只要芬恩說這是最好的辦法，那就是最好的。蒂奧娜他們其實也明白。

要對付那頭怪獸，艾絲比誰都適合。

「等我與這裡離開足夠距離後，我會打暗號。在那之前請妳爭取時間。」

「知道了。」

芬恩急忙傳達完指示後，自己也迅速離開現場，去做自己該做的事。

他離開前將【絕望之劍】還給艾絲，艾絲裝備起來，單獨一人與女體型怪獸對峙。

爬行地面的無數疣足、搖晃的複數手臂、色彩斑斕的怪物威容。

面對步步進逼的巨大敵人，她既不好強也無悸動，只是保持平靜。

金色雙眸緊迫盯人，低語道：

「【甦醒吧】。」

風受到召喚而來。

「咻」一聲，艾絲揮動愛劍，發出鳴響。

「——！」

女體型震動了。

就像對喚起的風產生反應，牠將目標鎖定在艾絲一人身上，上半身向後仰。

看似無貌的臉孔部位產生一條橫向龜裂，開啟了口腔。

腐蝕液有如水槍般猛烈射出。

水量、速度都與方才的戰鬥不可同日而語。艾絲選擇迴避，往旁邊一跳。

非比尋常的溶解聲立即響起。體液將她原本站著的地面溶出一個大洞，而且還繼續往後方的岩台噴去。

岩壁發出哀嚎後坍塌，轉眼間變了顏色，冒出了大量黑色水蒸氣。

（得把牠引開。）

她必須照芬恩跟她說的，先爭取時間讓蒂奧娜他們撤退。

同時還要將敵人引到對自己有利的地形。

所幸那頭怪獸的目標是自己。只要保持若即若離的距離，牠應該就會追來——艾絲的這種打算……

一半成真，一半落空了。

「！」

四片手臂在胸前組成X字形，然後使勁一甩。

讓人懷疑自己眼睛的大量光粒，淹沒了艾絲的頭頂上方。

「——」

閃閃發亮的五彩粒子群以艾絲為中心擴散至廣範圍，然後降落。

那規模足以將附近一帶化為焦土。原本要引誘怪獸而疾速奔馳的她判斷這下子來不及逃脫，於是讓風的氣流包覆全身，加強防禦。

震耳欲聾的爆炸與巨響立時撲向她。

她被捲入爆炸波當中。雖然好幾道風壁使她免受直擊，但衝擊力道依然震撼著纖瘦身軀，並暫時剝奪其聽覺。

肌膚與輕裝被高溫焚燒，她咬緊牙關承受。突如其來，黃綠色的巨大身軀突破掀起的煙霧，無聲無息地現身了。

「！」

扁平形手臂一掃，連空間都一併撕裂。

她利用後退、跳躍避開了前三下攻擊。

但怪獸的兩對四片手臂——總共四連擊的最後一下打中了她。

情急之下，她用驚人的反射速度將劍卡向敵我之間防禦，但這招橫向毆打攻擊依然以決堤之勢將艾絲彈飛。超乎尋常的視野震動，若不是有風的防護，這一擊早已將她化為飛灰。

在焦黑的平地上翻滾了一陣子後，她運用手腳甚至是風勢迅速重整態勢。發出粗糙的摩擦聲，艾絲將地面削掉一大塊才停了下來，瞬時將【絕望之劍（buster）】舉至上段。

艾絲看準想給牠最後一擊而一直線發出的腐蝕砲擊，使盡全力將劍往下一揮。

大理石模樣的腐蝕液與銀色大斬擊交互衝突。

纏繞著風的劍將腐蝕液從中砍成兩半，流向艾絲視野的左、右兩旁。

那幅景象實在驚人。一名冒險者只用一把劍持續抵禦著怪獸的砲擊。

女體型怪獸想硬是沖走艾絲，加倍了放出水量；不過艾絲瞪起金色眼眸，不停地切開體液的劍文風不動。

率先放棄的是怪獸那方。牠不再從口中吐出腐蝕液，結束了砲擊。艾絲將劍一揮，雙腳蹬地，朝著敵人發動突襲。

（不能空出距離！）

怪獸的確是以艾絲為目標，不過卻無法誘導牠。

只要想的話，牠大可用爆粉將周圍化成一片焦土。女體型根本不用追，就可以對艾絲進行轟

炸。

為了避免自滅，牠應該不敢在近距離使用爆粉。因此只有敵人的懷裡才是安全地帶。

她放棄誘敵，決定讓芬恩他們自行避難。

艾絲集中精神與女體型怪獸交戰。

「！」

眼見艾絲接近，怪獸試著用成對的四片手臂迎擊。

不出所料，距離一近就不敢用爆粉了。艾絲利用緊急停止、緊急加速避開橫掃攻擊，鑽進對手懷中，取得後方位置後瞄準支撐巨大身軀的一堆短腳。

然而，女體型的反應速度也很快。牠伸出四片中下面的手臂防禦住艾絲的攻擊。

——沒有死角？

儘管女體型身體龐大，不過動作卻出奇地靈敏，而且還能用可動範圍極為寬廣的扁平形手臂對應前、後、左、右的所有襲擊。就算直接跑到敵人的正後方，牠還是能用那一堆腳眼花撩亂地移動身體來轉變方向。也沒有大型怪獸常見的缺點——不擅長精密動作。

艾絲逐一更新敵方資訊，一而再，再而三地砍向對手。

「……！」

她使用【風靈疾走】替劍附加強風，打退或是撐過怪獸的攻勢。

強勁的風之庇護使她能夠用細瘦手臂迎擊敵人的巨腕。專門擔任前鋒人牆的冒險者看到這景

象一定會嚇昏，不過艾絲是用上魔法（禁藥）與不壞之劍（Durandal）才辦到的，純粹以她的體能與劍術根本無法與敵人抗衡——作為一名劍士——這點讓她感到焦急。

看來扁平的手臂統一是黃綠色的表面耐久性較高，色彩斑斕的內側似乎累積了剛才那種爆粉。

她讓【絕望之劍】與只能留下淺淺裂傷的手臂表面再三衝突，避免從正面互砍。那隻手臂的破壞力，她一次頂多只能擋掉兩下。

戰況膠著了一段時間，雙方互比耐性。

然而，狀況卻因為女體型的行動而有了變化。

「！」

就在她試著移動到敵人的側面、後方，展開了不知道是第幾次的擾亂與繞行時。

長在後腦杓的好幾根管子彷彿有意識地蠢動，並朝著艾絲射出腐蝕液。

——咦，好奸詐。

從毫無防備的頭頂上射擊。

眼見著好幾道腐蝕液噴向自己，艾絲判斷只用全身纏繞的氣流無法徹底防禦，於是將劍一揮，砍開體液。

她捨不得離開敵人的懷裡，因此沒有緊急迴避，不過卻引發了最壞的結果。女體型以超乎至今的敏捷動作扭轉右半身，惡狠狠揮出兩片手臂。

艾絲擋下從下半部伸出的右臂一擊，被彈飛出去，上半部的右臂不給她喘息的空間，立即灑

出色彩斑斕的粒子。

數不清的光粒包圍著艾絲。

對方也許是想做個了結，投入了比剛才多上幾倍的爆粉。

女體型甚至開始準備砲擊，身體往後仰——然而在下個瞬間，牠僵住了。

「風啊。」

保護艾絲身體的風解除了鎧甲擴散開來，將爆粉吹散至周圍。

遠離她身邊的光粒群慢了一步，才好像出於無奈地引爆了。只有極輕微的爆炸波吹到艾絲身上，以少女為中心，火紅花團呈放射狀繚亂綻放。

——到爆炸需要三秒。

艾絲已經看過這種光粒攻擊三次了。

從手臂散布光粒到爆炸為止有三秒鐘的時間。換句話說，只要在三秒內吹飛光粒，就能將受害程度控制到最小。【眷族】前輩們教導她身為冒險者的洞察力，讓她在面對初次接觸的怪獸時絕不會怠於收集資訊。

對女體型怪獸來說，能夠操縱風魔法的艾絲是唯一的天敵。

本來不能防禦的腐蝕液與能夠進行大規模攻擊的爆粉——對許多冒險者來說足以構成威脅的這些能力，遇上她的風都一一失效。芬恩會命令艾絲一個人討伐怪獸也是因為預料到了這一切。

很快地就傳來「咚」的一聲。

在爆炸光環的圍繞下，煙與少量火花發出聲響搖曳，一道閃光打上遙遠的上空。

撤退完成的信號。擊敗目標的許可。

艾絲無視於痠疼的身體，纏上比之前更強的風。

緊接著，她稍微前傾，疾驅。

「——」艾絲擺脫了怪獸的反應。

她以跟至今截然不同的加速衝過敵人的右側，對黏在地上的那堆腳橫著一閃，一次全部砍斷。

「！」

失去了一側所有的腳，怪獸失去平衡。牠臨時以同一側的兩片多重手臂撐住了往右手方傾倒的巨大身軀。

攻擊腳部，讓對手倒地。這是對付樓層主或大型級怪獸時的常用方法(理論)。

艾絲未曾停息。她在敵人的正後方迅速轉換方向，雙腳蹬地，掀起爆波，沿著怪獸的下半身往上跑。長在後腦杓的管子也在經過時砍碎，然後將肩窩伸出的扁平手臂切斷。

大量體液噴出。從複數蟲腳、從管子、從肩窩，猛烈地噴發。

或許是被砍離本體的手臂器官失去控制的關係，不過是掉落在地上的小小衝擊，就導致色彩斑斕的粒子群輕柔地飄了起來。

三秒後，爆炸。

「——啊啊啊啊！」

在懷裡掀起的連鎖爆炸讓女體型怪獸發出尖叫。

自爆又自爆，牠胡亂揮動著剩下的管狀頭髮與手臂痛苦地掙扎。

輕快的「咚」一聲，艾絲在遠離怪獸的正面位置著地，面對仍然受到爆破暴風襲擊的女體型，揮動愛劍發出鳴響，決定用下一擊做出了結。

她膝蓋稍微蓄力，然後是連續的觔斗。

每次翻轉都拉開一大段距離，她連續蹬地，如同羽毛飛舞般往後退。裙襬翻飛，修長的美腿數度暴露在外。

然後，她在聳立於背後的岩台——它的上半部壁面——著壁。

維持著腳接在岩壁上的姿勢，她用那雙金色眼睛射穿冒出大量黑煙的目標。

最大效力。

讓已經足以稱為風暴的旋風大氣流纏繞全身，艾絲加重了握劍的力道。即將施展出的是足以和強勁魔法匹敵、突破一點的神風。

「——艾絲美眉！在施展必殺技(招式)時喊出名稱，就可以提升攻擊威力唷——！」，被自己的主神如此欺騙的她……

輕啟雙唇，悄悄念出了那個名稱。

「微型勁風。」

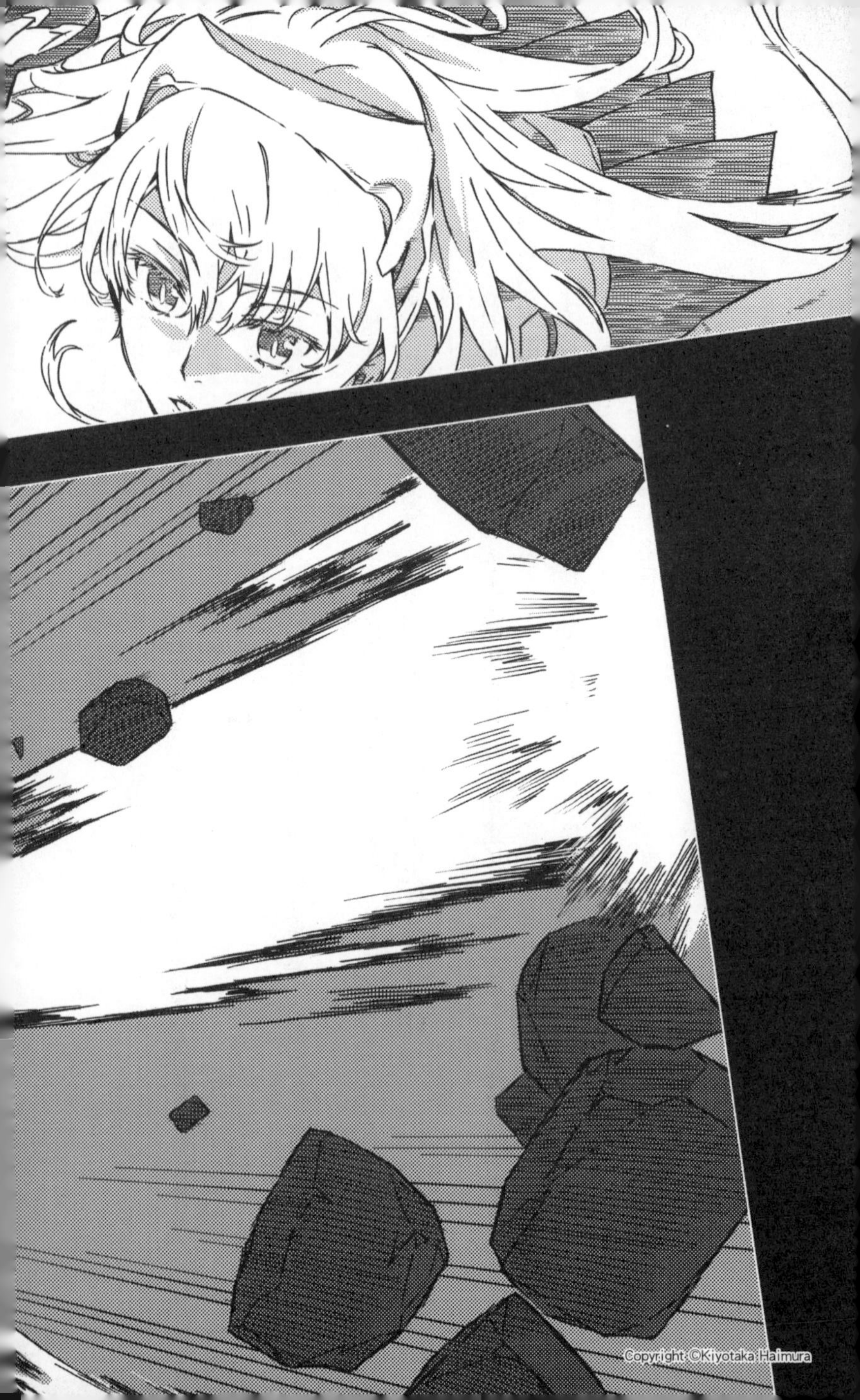
Copyright ©Kiyotaka Haimura

念出主神命名的一擊必殺之技，艾絲化為強風箭矢。

「！」

一如閃光，強風螺旋矢以神速之勢急逼而來。負傷的女體型怪獸在最後一刻做出反應，重疊起剩餘的三片扁平形手臂當成盾牌。然而，

纏繞著風刺出的銀色劍尖不容許瞬間拮抗。

貫通。

「——」

怪獸的身體連同盾牌一起被刺穿。

開出的通風孔等於成了致命一擊，女體型變得僵硬，轉瞬間全身膨脹。

膨脹的身體一口氣爆發四散，不只如此，爆粉與腐蝕液間似乎還發生了特殊反應——引發了異乎尋常的大爆炸。

「艾絲小姐！」

蕾菲亞發出了慘叫。

視線前方，巨大火球形成一個圓頂，將周圍一帶的所有物體吹散開來。

為了躲避怪獸的自爆，在芬恩的指示下，【洛基眷族】他們拉開了夠遠的距離，從旁觀望著艾絲戰鬥的過程，此時爆炸的餘波吹到他們這邊來。所有人無不遮住眼睛，以撐過湧上來的熱風與衝擊。

視野受到灼熱包圍，一切光景都染成紅色。

爆炸中心燒成一片火海，熯天熾地。

火勢延燒到灰色森林，四處都有火焰升起。

「艾絲……」

蒂奧娜的臉龐被火光染成緋紅，她凝視著視線前方的光景。

下個瞬間，她睜大了眼睛。

火焰捲起了漩渦。火牆像被人從內部推開般震動，接著就因為風的流向而往左右分開。

火海一分為二，人影從中走出。半壞的防具，還有劍所閃耀的光輝。

背對著熊熊燃燒的火焰，金髮金眼的少女慢慢回到大家身邊。

大聲歡呼。

在地下城尋求邂逅是否搞錯了什麼 外傳

第三章 White Rabbit

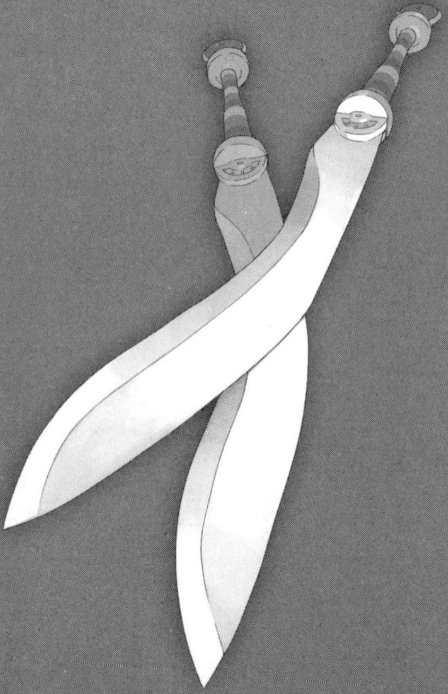

Гзта казка іншага сям'і

белы Трус

Copyright ©Kiyotaka Haimura

地下城的地形每到固定樓層區域就會大幅改觀。

從直接連結地表的第1層開始常見的標準迷宮構造，到森林、湖泊、荒野等各種型態，樓層內呈現的是難以想像置身於地底的小世界。越是往下層前進，這種自然環境的變化就越明顯。

【洛基眷族】他們如今正在岩窟當中前進。外露岩石形成的通道不僅有無秩序縱橫交錯的橫向洞穴，還有縱向洞穴，正可說是天然洞穴。壁面上方亮起的燐光有如篝火般晃動，照亮陰暗的迷宮內部。

這是比深層接近地表許多的中層區域，第17層。

「明明還能夠往下走的說——。我還打不過癮啦——」

「妳很煩耶。收斂一點。」

「可是，竟然在第50層就折返耶——」

在第50層進行戰鬥後，【洛基眷族】放棄前往未踏樓層，改為返回地表。也就是說，本次「遠征」事實上已經結束了。

蒂奧娜嘟著嘴抱怨，蒂奧涅正在規勸她。

「團長已經解釋過好幾次了吧？我們遭到那種怪獸襲擊，剩下的物資可能會不夠用。」

「食物在迷宮（那邊）找就好了嘛……」

「武器跟道具就沒辦法啦。尤其是好用的武器幾乎都溶掉了，手邊只剩下來時路上用過的磨損物品了。」

特別是妳的備用品不是都沒剩了嗎。蒂奧涅這麼說道。

武器與防具當然都是消耗品。不經過磨刀師或鐵匠的維修，刀刃會缺口、變鈍——如果是防具的話則會累積損傷、降低耐久性——最後報廢。除了一部分的不壞屬性外，不管再優秀的武具都無法承受長期戰鬥。

無論冒險者的體力再怎麼充沛，只要裝備派不上用場，就會影響到與怪獸的戰鬥。

「嗚——，好不甘心喔——。好不容易費盡千辛萬苦才到了第50層耶——」

大夥聽從領袖芬恩的指揮，從深層退卻以來已經過了六天。

蒂奧娜已經好幾次被同一番話講到無法回嘴了，她將手在後腦杓交叉。身上沒帶半件裝備品的她，羨慕地看著身旁慢慢步行的艾絲。

收著愛劍的劍鞘反射著光輝，少女注意到視線，偏了偏頭。

「都是那頭怪獸害的……結果那到底是什麼東東啊？」

聽到妹妹的疑問，蒂奧涅聳聳肩地說「不知道。」。

「只能說是未經確認的怪獸吧。……雖然的確有些可疑。」

說著，蒂奧涅伸手到胸口。她將手指伸進如巨峰般結實纍纍的雙胸之間，取出怪獸的「魔石」。

蒂奧娜目睹到自己完全沒有的深谷，改用恨得牙癢癢的視線瞪著親姊姊。

「是說，那個該不會是那種怪獸的魔石吧？蒂奧涅，妳是怎麼找到的？」

「把手塞進去直接抓出來的。」

蠕蟲型的怪獸無一例外，死後會以漏出的腐蝕液花時間慢慢溶解全身，連體內的魔石也會一起溶解。蒂奧娜他們辛苦了老半天打倒了那麼多的怪獸，卻連一塊魔石也沒有回收到。

只有蒂奧涅不怕溶解硬上蠻幹，才能用破天荒的方法得到魔石。

「哇，這什麼啊。顏色好怪。」

「是呀……跟普通魔石有點不同呢。」

隱藏在怪獸胸部內的魔石雖然大小、形狀不一，但顏色一律是藍紫色。

蒂奧涅手中那塊跟小石頭差不多大的魔石綻放著從未見過的光輝，中心色彩斑斕，其餘部分則是藍紫色。

蒂奧娜從旁探頭過來看，蒂奧涅將魔石舉到頭上，對著搖晃燃燒的燐光瞇細了眼睛端詳著。

不久，一行人抵達了寬敞的窟室。

由於此地的通道寬度比起深層區域較窄，因此【洛基眷族】在爬上這第17層之前先將部隊一分為二。因為集團規模太大會不易行動，也無法對應怪獸的襲擊。里維莉雅管轄的這支先行部隊是由包括蒂奧娜等人在內的幾十名團員組成，芬恩與格瑞斯他們則是後續部隊。

也因為是遠征後的歸途，團員們，尤其是擔任支援者搬運行李的基層人員，臉上都顯露著濃厚的疲憊神色。

「……莉涅，要不要我幫妳？」

「咦？啊，我、我可以的！」

艾絲向一名人類少女出聲問道，但被對方堅持拒絕，說是「怎麼可以」。看得出來她有一種觀念，不能讓第一級冒險者拿行李。

雖然幾乎只是掛名，但艾絲好歹也是幹部——再加上她不食人間煙火的氛圍——幾乎所有團員都像這樣對她畢恭畢敬的。

「好了啦，艾絲。少理那些小咖。」

看到整件事情經過的獸人——狼人伯特插嘴道。

這是個身高足足有一百八十C（賽爾尺）的高大男子，尤其是那雙結實緊繃的腿更是修長美觀。從左側額頭到下顎刺著閃電般的藍色刺青，粗暴的印象蓋過了端正的面孔。

他輕輕踹了一腳支援者團員，把對方趕走，然後轉向艾絲。

「妳都這麼厲害了，還沒搞懂嗎。跟那些肉腳糾纏只會浪費時間，管妳有什麼理由，都不要想去幫他們。」

「……」

「盡量瞧不起他們就對了。妳只要做實力堅強的妳就夠啦。」

伯特用鼻子哼了一聲，揚起嘴角；艾絲則是一語不發。

伯特・羅卡。

此人身為【洛基眷族】的第一級冒險者，是典型的——不，可以說是過度的——實力主義者。

對一流的劍士艾絲有些另眼相看。

他本性不壞……艾絲是這麼覺得的。

里維莉雅與他常常因為意見相左而演變成激烈爭論，艾絲曾經聽她發過牢騷，語氣有點酸溜溜地說：「那個獸人（男的）不引人誤會就不高興。」

他跟蒂奧娜也經常吵嘴，也許是他身為孤狼（狼人）的天性使然吧。

「艾絲，不可以理伯特說什麼啦！只會浪費時間而已！」

「妳去死吧，臭婆娘。妳才是該去替那些人做雜務咧。妳不是手上一件裝備都沒有嗎，白癡。」

「要你管啊——！」

才剛說著，伯特他們就吵起來了，不過，

他們的爭吵很快就中斷了。

「——哺喔……」

一行人正在前進的窟室裡，有種猙獰的氣息，以及粗重的呼吸步步進逼。

從好幾條通道口的外頭出現了大量怪獸。

「哺哺喔喔喔喔喔喔喔喔喔喔喔喔喔喔喔喔喔喔喔喔！」

震撼岩窟的咆哮響起。

那種怪獸具有能讓一般冒險者嚇得逃之夭夭的魄力，肌肉虬結的肩膀與手臂隆起如粗繩。每當牠們踏出一步，地面就凹陷出蹄形痕跡。

渾身肌肉的巨大體魄，與紅銅色的體皮。

代表性的怪獸之一，牛頭人身怪獸「彌諾陶洛斯」。

「你看，都是伯特太吵，把『彌諾陶洛斯』引來了啦！」

「關我屁事啊。嘖，跟一群白癡似的擠上來……」

一群彌諾陶洛斯陸陸續續進入窟室，圍成了圈子，企圖包圍艾絲等人。

眼睛布滿血絲的猛牛怪獸們身體隨著呼吸上下起伏，呈現亢奮狀態。

「里維莉雅，既然有這麼多，我們也可以一起打嗎？」

「嗯，可以。勞爾，芬恩有交代，你來指揮，作為日後學習。」

「好、好的！」

面對管理機構（公會）依據每個樓層制定的威脅評比被認定為最高（三星）的中層最強怪獸，艾絲等人沒有一絲動搖。他們早已探索過比這第17層還深了三十層的深層領域，彌諾陶洛斯與他們之間有著無法跨越的力量隔閡。按照規定，原本在比較淺的樓層艾絲這些第一級冒險者不會出手，是由基層團員來累積【經驗值】。就算是基層人員，在場團員可都是比中堅【眷族】冒險者們更有實力的強者。絕不可能會輸給中層出身的怪獸。

不過，這次數量實在多了一點。

有了蒂奧涅的請求，艾絲等人也加入戰局。

「哺喔喔喔喔喔喔喔喔喔喔喔喔喔喔喔喔！」

然後，之後戰鬥的一連串發展，轉向任何人都預料不到的方向。

「哺喔喔喔喔喔喔喔喔喔喔喔喔喔喔喔喔喔喔喔喔喔!?」

就在他們以迅雷不及掩耳的速度，解決了半數來襲的彌諾陶洛斯時。

可能是被差距太大的戰力嚇到，一頭彌諾陶洛斯竟然轉身背對艾絲等人。

接著彷彿是恐慌傳染給了其他怪獸，剩下的怪獸全都腳底抹油，一口氣……

展開了意想不到的集體逃亡。

「咦咦！」

「喂，是怎樣！你們不是怪物(怪獸)嗎！」

這個狀況把蒂奧娜、伯特嚇了一跳。

怪獸們爭先恐後地衝出窟室，消失在通道深處。

艾絲的金色雙眸也瞪得好大。

「你們快追！」

里維莉雅壓抑住動搖，發出號令。

艾絲等人一時之間僵在原地，這才猛然回過神來，開始追趕那群彌諾陶洛斯。

「我們可是遠征回來耶……！」

「那個，我，不擅長肉搏戰……！」

「用鑾(法杖)力打死牠們總行吧！叫妳殺妳就殺！」

「知、知道了……！」

蒂奧涅一副有苦難言的樣子，一旁的伯特對蕾菲亞則是出聲斥責。每個人的表情都不輕鬆。

除了艾絲等人之外，地下城裡當然也會有其他冒險者。那些能力符合中層需求，並在迷宮探索的人，要是碰上這麼大群彌諾陶洛斯衝過來，根本是噩夢一場。如果他們沒有解決怪獸，而讓許多冒險者有去無回，管理機構（公會）或其他派系鐵定會譴責他們的失敗，更重要的是晚上會睡不安穩。

「等一下，那邊是！」

彌諾陶洛斯們衝上通往第16層的階梯。蒂奧娜白慘叫了，一群怪獸消失在上面的樓層。

「連我都可以猜到會有多麻煩了……！」

一行人發出亂糟糟的腳步聲，跳越階梯，不管三七二十一往前衝，只希望不要造成人命傷亡。

艾絲等人瘋狂地追趕彌諾陶洛斯。

一層樓，一層樓，再一層樓——

猛牛怪獸的狂奔馬不停蹄，有如破竹之勢。牠們在各個樓層到處亂跑，還有些彌諾陶洛斯離開了團體四處分散，結果擾亂了艾絲等人的追逐。對他們來說，運氣最差的是怪獸們總是能找到連接上面樓層的道路，一層一層地往上前進。完全被伯特說中了。

為了處理四散於各個樓層的彌諾陶洛斯，團員們一個接著一個從追逐隊伍中消失。當他們越過中層衝進「上層」——直接連結地表的第1層到第12層層域——到達第6層時，隊伍裡面只剩下艾絲與伯特了。

「噫咿！」

「讓開！」

伯特在千鈞一髮之際打倒了正要襲擊冒險者的彌諾陶洛斯。

「上層」是距離地表最近的樓層區域。這裡只會出現低級怪獸，都是些弱小的種族，也是新手等初級冒險者們的活動範圍。要是他們碰上彌諾陶洛斯，根本無從抵抗，瞬間就會遭到殘殺了吧。

現在的狀況下，什麼時候會出現犧牲者已經不奇怪了。

（追丟了……！）

艾絲也成功擊敗了另一頭彌諾陶洛斯，然而卻讓最後一頭跑了。

在選項（路線）不勝枚舉的迷宮中，她缺乏變化的表情下隱藏著焦躁。

「過來，艾絲！」

伯特鼻子嗅了一下，毫不猶豫地向前跑。獸人種族出身的他嗅覺格外敏銳，想必是找出了彌諾陶洛斯留下的氣味吧。

艾絲跟在他後面跑過通道，不久就看見了肌肉賁起的紅銅色背部。兩人想做個了結而加快速度，卻還是讓牠逃到樓上去了。

「……！」

第5層。

衝上階梯的前方通往窟室中央。淡綠色壁面構成的迷宮呈現暴風雨前的寧靜。四方形大廳的四面各延伸出一個通道口，總共四個。沒有看見其他人影。

兩人凝神細聽，迅速環視四周。就在這個時候……

「咘咘喔喔喔喔喔喔喔喔喔喔喔喔喔喔喔喔喔喔喔喔喔！」

「喔啊啊啊啊啊啊啊啊啊啊啊啊啊啊啊啊啊啊啊啊啊！」

他們聽見了。

那個聲音。

「！」

她一口氣衝出去。

艾絲比伯特搶先一步，奔向叫聲與咆哮合而為一的方向。

她立刻就發現了彌諾陶洛斯，以及那個人物。

讓人聯想到初雪的純白頭髮。隨時可能滲出眼淚的眼睛是深紅色的。具有乍看之下像隻兔子的外貌，是個人類少年。

他背對著追上來的赤色猛牛拚了命地逃跑。

「根本是個大外行嘛！」

窮酸的防具一看就知道是管理機構的配給品。就連一個逃走的動作都隨處流露著自學自用的笨拙。

菜鳥中的菜鳥。

對彌諾陶洛斯來說豈止是獵物，根本只是飼料。

雙腳使力疾馳，想要縮短彼此的距離。

艾絲追逐著白兔。

「哺姆！」

「欸？」

彌諾陶洛斯的牛蹄。

來自背後的一擊雖沒有踹中那細瘦的身軀——不，是在千鈞一髮之刻躲開了——但踏碎了泥土地面正好波及到少年的立足點。

少年被絆了一跤，翻滾後倒在地下城的地面。

「——」

艾絲的身影模糊了。

她拋下伯特，輕巧無聲地朝視線前方的景象加速。

被追到窟室角落的少年仰望著彌諾陶洛斯的巨大身軀，嘴角扭曲，露出抽搐的笑容。

滿是塵土的白髮、淚腺決堤的紅眼。只能等著揚起的鐵臂砸在自己身上的可悲小兔子。

那讓她有種強烈的似曾相識感——艾絲追上那副光景，揮劍一閃。

「咦？」

「哺喔？」

少年與彌諾陶洛斯發出呆笨的聲音。

她從背後對胴體施以音速斬擊，手不停息地在怪獸全身刻上無數線條。

最後的劍閃亮出一道銀光。

「咕哺！哺，哺哞喔喔喔喔喔喔喔喔喔喔喔喔喔喔喔喔——！」

仍然維持原形的巨大身軀，彷彿現在才想到似的，沿著斬擊軌跡滑落。

伴隨著臨死慘叫噴出血沫，彌諾陶洛斯化為好幾個肉塊，崩毀落地。

然後，兩人四目交接。

呆滯瞪大的深紅雙眼與清澈明亮的金色雙眼。

在傾倒的彌諾陶洛斯面前，少年與艾絲邂逅了。

正面對著跌坐地面、全身僵硬的少年，艾絲輕柔地向他說：

「……你還好嗎？」

被從正面俯視著自己的艾絲這樣問，少年動都沒動。

他好像變得不會說話，無言地抬頭看著艾絲。

她有些困惑地，又問了一遍：

pyright ©Kiyotaka Haimura

「那個……你還好，嗎？」

沒有反應。

艾絲表情不變，心裡卻傷透了腦筋，重新端詳了一下坐在地上的少年。

他被彌諾陶洛斯灑出的血噴個正著，渾身血淋淋的，讓她感到非常過意不去。收起眼淚的雙眸再度變得濕潤，直勾勾地仰望艾絲的臉龐也像得了熱病似的，肌膚一點一點地泛紅。

看到少年好像要發燒了，艾絲覺得擔心，將劍收進劍鞘，伸出了手。

「站得起來嗎？」

少年正好要說些什麼的嘴唇，頓時凍住了。

他的視線一瞬間停在對自己伸出的手上，然後再次仰望艾絲端正的相貌。

轉眼間，他的耳朵、脖子，每一寸肌膚都漲紅了。

「哇——」

「哇？」

不給艾絲疑惑的時間，少年猛然跳了起來。

下個瞬間。

「哇啊啊啊！」

他卯足全力從艾絲面前逃走了。

「……」

艾絲愣在原地，眼睛睜得大大地站在那兒。

從少年逃走的通道深處傳來他怪叫的回聲，她露出了從沒讓任何人看過的呆愣表情。

「……！……！……咯咯！」

回頭一看，伯特一邊發抖一邊抱著肚子，拚命忍著笑。

他彎著腰露出後腦杓發出「咿——咿——」的怪叫，上氣不接下氣。

「……」

艾絲紅著臉，就像年輕少女該有的那樣。

用凶巴巴的眼神瞪著獸人青年。

雖然經過一段迂迴曲折。

艾絲等人的長途遠征就這樣落幕了。

迷宮都市歐拉麗。

以廣大面積為傲的圓形都市，圍繞著堅固的市牆。

從修繕痕跡可以看出，它的設計並沒有把迎擊外敵列入考量，證明了與壁壘本來的目標相反，這道障壁是用來抵擋內部湧出的怪物（怪獸）的。讓人感覺到悠久歲月、沉默不語的巨岩牆壁還保有「古代」當時地下城要塞的影子。

與外界隔絕的市牆內側並列著大小各色建築，而在都市中央的位置矗立著直達天際的白牆巨塔。

這是作為阻塞地底大洞——地下城入口的「蓋子」而建造的摩天樓設施「巴別塔」。

以這座巴別塔，也就是地下城為中心，歐拉麗至今依然繁榮昌盛。

黃昏即將降臨，街上擠滿從迷宮回來的冒險者，滿街都能聽見慶祝招待他們生還的酒店歡鬧聲。許多人類與亞人把酒言歡，一部分得意忘形的天神一手拿著啤酒杯闖入其中。將種族隔閡與敬意都拋諸腦後，他們之間響起的笑聲正是這座都市——這個世界的縮影。

一盞一盞開始亮起的街燈，「魔石燈」的光輝逐漸點綴著這座喧囂聲不絕於耳的都市。

「終於回來了……」

都市北部，北邊繁華大街之外的馬路旁。

一棟比周圍一帶建築高聳得多，又長又大的宅第坐落於此。

好幾座高層塔樓重疊而成的宅邸既像劍山，紫銅色的外觀又讓它像是旺盛燃燒的火焰。諸塔之中最高的中央塔上豎立著小丑旗幟，此時正染上了棗紅色。

這裡是【洛基眷族】大本營（總部），黃昏館。

「啊——，累死了——，真想吃一大堆肉——」
「我比較想早點沖澡。」
「啊哈哈……」
聽了蒂奧娜姊妹所言，蕾菲亞露出苦笑。
從地下城回到地上的艾絲等人此時來到了總部前面。三十人規模的冒險團各自抱著、拖著物資抵達正門前。
一男一女的兩名團員——看門人向眾人敬禮。
「我們回來了。麻煩幫我們開門。」
在芬恩的一句話下，門打開了。
建造在面積狹窄用地的總部似乎是覺得，既然不能往旁延伸，那就向上伸展吧，因此走進大門後，前方的庭園當然也沒有很寬敞。運用大門與宅第之間的空間，真的只設置了一座小小庭園。栽植的少許植物與各色花朵在風兒輕撫下搖曳生姿。
由芬恩帶頭，艾絲等人魚貫踏入宅第的土地。
「——妳們回來啦啊啊啊啊啊啊啊啊啊啊！」
突如其來。
好像算準了艾絲等人走進大門的時機，一個人影從宅第那邊跑來。
搖晃著朱紅色頭髮的她看都不看男性一眼，一直線衝向艾絲她們這群女生。

「大家都平安嗎——！唔喔——，想死妳們了——！」

她伸出雙手撲向女孩子們，艾絲、蒂奧娜、蒂奧涅都不當一回事地輕鬆躲開。

排在最後的蕾菲亞慘遭波及，一邊發出「咦，等等，呀啊——」的慘叫一邊被抱住，接著被壓倒在地。

「洛基，這次遠征沒有人員犧牲；不過到達樓層也沒有增加就是了。細節之後再向妳報告。」

「嗯嗯……瞭解啦。歡迎回家，芬恩。」

「嗯。我們回來了，洛基。」

玩味過精靈少女玉體的女性抬起頭來，對他咧嘴一笑。

讓見者聯想起黃昏時分的朱紅色頭髮，瞇細的眼睛此時彎成月牙，隨著端麗的容貌一起破顏微笑。她看芬恩的眼神，正是為孩子平安返家而高興之天神所應有的模樣。

厭倦了天界的墮落生活，追求娛樂而降臨下界，我行我素的天神之一。

與人族、怪獸都屬於不同次元的超越存在（Deus Dea）。

她就是與艾絲等人締結契約的【眷族】主神，洛基。

「洛基——，妳給蕾菲亞造成困擾啦，放開她好不好——？我們都很累了耶——」

「喔喔，對不起喔，蕾菲亞。我一時太感動了。」

「不、不會……」

「話說回來……唔呼呼，妳咪咪是不是稍微變大了？」

「才、才沒有呢！」

看到自己主神的下流笑容，蕾菲亞滿臉通紅地大叫。

儘管散發出來的氣質與人不同，帶有別種神威，不過她總像個中年歐吉桑的言行卻糟蹋掉這一切。下界之人豔羨的完美臉龐只有在這個時候醜陋得不忍卒睹。

洛基雖然是位女神，不過卻有著性好女色的麻煩嗜好。

透過她的勸誘（發掘）而達到今日規模的【洛基眷族】，先不論男性團員，女性團員確實是美女如雲，大大反映出她的興趣。

「是說啊，蒂奧涅，妳纏在胸部上的……是芬恩的纏腰布吧！難不成，妳難不成在地下城走光了嗎！妳說啊！」

「妳很吵耶——。熱死人了，不要靠過來啦。」

不理會急躁逼問蒂奧涅的洛基，團員們各自去做自己的事情。從大家對她的隨便態度中看不出一絲崇拜，一眼就看得出來，沒有人把她當成神來敬畏。

全知全能的力量受到封印，歲數不會增加也不會衰老，堪稱是超越人智的存在。面對這位女神，眾人對她所抱持的反而該說是家族間的安心與情感。

每個人都覺得回到了自己的家，疲憊的神情也自然和緩了一些。

「艾絲也是，歡迎回家——」

「我回來了，洛基……」

洛基緩緩將臉轉向艾絲，艾絲也清楚地回答。

臉上露出有些欣喜的酒窩後，女神略微睜開她的瞇瞇眼。

「嗯。妳身體在抽痛喔——。得好好休息才行，知道嗎？」

「……」

過度使用魔法而發出呻吟的身體狀況一下子就被看穿了。

彷彿能夠看透一切的朱紅色神眼。她沒有再多說什麼，只對著沉默的艾絲一笑，皆著便轉過身走去找其他團員了。

「艾絲，怎麼了？又被洛基上下其手了？」

「沒有……沒什麼。」

艾絲一邊回答蒂奧娜，一邊注視著主神對一臉厭煩的里維莉雅死纏不放的模樣，然後離去。

留在總部的團員們接過遠征組帶回來的行李搬並搬至別處。艾絲等人經過他們身邊，聽著他們笑容可掬地說「您回來了」等歡迎話語，走進宅第裡面。

入口大廳運用少許空間硬是做成寬敞設計，所以頗具開放感。儘管因為這樣而占用到其他房間與通道空間，不過艾絲還滿喜歡這種狹窄、雜亂的總部構造。

接到「手邊有空的人先去洗澡」的指示，大家心照不宣地讓艾絲、蒂奧娜等人先使用浴室。事事得到優待——儘管考慮到自己的地位也許是理所當然的——但還是讓她覺得很不好意思，不過有效率使用浴室才能夠趕快換其他人用，所以她也就接受了大家的好意。

艾絲先回到自己的房間取下愛劍、脫掉防具，然後讓蒂奧娜等人帶著前往樓上的浴室。

「……艾絲的服裝其實挺大膽的耶……」

「因為洛基說如果我不穿，她就要咬舌自盡……」

聽到蒂奧娜這麼說，艾絲一邊脫衣服，一邊微微低垂著眉毛如此答道。

單薄的衣物背後開著大洞，一旦脫下鎧甲，整個背部到腋下連接乳房的曲線，水嫩的肌膚一覽無遺。蒂奧娜本來覺得奇怪，照艾絲的個性不應該會穿這麼暴露的衣服。聽到她的回答後，這才「啊，原來是這麼回事啊——」地恍然大悟。

主神對事情有莫名的堅持，團員就得多多擔待，這在每個【眷族】裡面都是一樣的。

「蕾菲亞，快把衣服脫一脫。後面還有人在等。」

「啊，是……」

相對於毫不吝惜露出裸體的蒂奧涅，蕾菲亞慢吞吞地褪下衣物。

毫不害臊的亞馬遜人，還有極力不在人前暴露肌膚的精靈，種族上的性情差異在這個時候如實呈現。這也是不同種族在同一屋簷下生活的【眷族】所特有的光景之一。

艾絲望著她們，從腿上抽掉緊身褲與內褲，自己也前往浴室。

說是浴室，其實只要有十個人進來就擠滿了，說是淋浴間也不為過。雖然裡面有個石砌浴缸，但只能提供寥寥數人使用。

「我說艾絲啊，妳是不是有點沮喪？」

「……？」

「總覺得啊，自從去追彌諾陶洛斯後，妳看起來就有些陰沉耶——」

被蒂奧娜這麼說，艾絲內心相當訝異。心想真的有這麼明顯嗎？

……老實說，她的確有點沮喪。

伯特一直在笑她，連艾絲也沒有碰過「救了人，對方卻一邊慘叫一邊用最快速度逃跑」的情況。如果是交鋒過的敵人(對手)夾著尾巴逃走，這樣的狀況倒是多到數不清……

把彌諾陶洛斯大卸八塊的自己真的有那麼可怕嗎——想到這裡，她有一點，真的只有一點點難過。

不是譬喻，那個兔子般少年漲紅的臉龐——就像是嚇得魂不附體的表情——烙印在她的眼裡。

站在蓮蓬頭前，淋著水勢強勁的熱水，肌膚染成淡紅色，她不被任何人發現地悄悄嘆口氣。許多水滴從她細緻的裸露肌膚上滑落，沿著纖柔的頸項、凹陷的腰圍、修長的大腿流了下來。

四道水流聲嘩啦啦響了一會。

「……唔唔唔。」

「妳在鬼叫什麼啦。」

蒂奧娜沒有理會她姊姊，一邊沖澡一邊凝視著自己與其他人的胸部。

大、中、小。

從右邊依序是蒂奧涅、艾絲、自己。三人胸圍的落差讓她咬牙切齒起來。瞄了一眼左邊，只

見蕾菲亞大小適中的酥胸，隨著搓洗手臂的動作柔軟地變形。

「蕾菲亞這個叛徒……」

「咦咦！」

「別理她，蕾菲亞。」

就在蒂奧娜怨恨地哀叫時，隨之而來地，

「嘩啦！」一聲，門突然被打開，一個野獸般的人影竄了出來。

「唔喔——！放心吧蒂奧娜——！我來幫妳把它揉大——！」

「今天晚餐吃什麼呢——」

蒂奧娜輕鬆閃開來自後方的奇襲，使出一記掃腿。

襲擊者被看不見的速度「刷！」一腿絆倒，腦袋「咚！」的一聲撞在磁磚地板上。

「噁嗚……妳、妳進步了，蒂奧娜。」

「洛基，別擋路——」

「咕嗚嗚嗚，為什麼這樣對我——蕾菲亞妳來安慰我吧啊啊啊啊啊啊啊啊啊啊！」

「咦，等一下，呀啊啊啊啊啊啊啊啊啊啊啊啊啊！」

艾絲等人早已見怪不怪，離開了浴室。

面對連衣服都顧不得脫就闖進浴室的女神，她們多少覺得有點危險，於是便拿後輩當犧牲品。

在陣陣令人想入非非的聲音與求助尖叫當中，艾絲她們決定先換衣服再說。

Copyright ©Kiyotaka Haimura

「好過分喔……」

「抱歉抱歉，我們也懶得應付洛基嘛——」

大餐廳裡面擺著好幾張長方形餐桌。

艾絲等人洗過澡後先回到自己的房間，然後才來用晚飯。

在洛基「飯要大家一起吃」的方針下，早、晚飯都會等到巡邏以外的團員到齊才用餐，所以餐廳裡面總是擠得水洩不通。要在椅子之間移動都得耗費一番工夫。

由於才剛遠征回來，大家沒有吵鬧的力氣，不過面對期盼已久的酒食，團員們大快朵頤、和樂融融。他們把這次遠征的英勇事蹟說給留守的人聽，每張餐桌都聊得很起勁。

到了這時候，大家才好不容易打從心裡放鬆下來。

「蒂奧涅。等一下有沒有要討論今後的計劃？」

「團長說今天就好好休息。有事情明天再處理。」

「真不愧是芬恩！」

用餐完畢的人先開始收拾餐具，一個接著一個離開大餐廳。

這個時候正在晚酌一杯的洛基忽然想起某事，站了起來。

「差點忘了。如果有人今天想更新【能力值】就到我房間吧——。明天一次全部處理太累人了。我想想，今晚就選前十名吧！」

面對主神發揮任性本色、欠缺計劃而隨口亂講的聯絡事項，大家早已聽習慣了，更沒有人會

抱怨。

本來轉頭看著洛基的蕾菲亞這個時候看向艾絲等人。

「各位要今天更新嗎?」

「我還是算了吧。我想好好睡一覺。」

「我還沒決定耶──。也沒其他事要做,但好像也沒賺到多少【經驗值】,讓【能力值】一下子增加一大堆……想到的話就去一下好了。蕾菲亞呢?」

「我今天也不要好了……」

「艾絲……就不用問了吧。」

「嗯。」

蒂奧涅視線瞄了艾絲一下,她頷首回應。

艾絲跟她們說一聲後,一個人離開餐桌。確定洛基不知道什麼時候已經不見了,她走出餐廳。

【洛基眷族】總部是由許多塔樓集合而成。塔的下半部連結在一起,上半部延伸出連接兩座塔的石砌長廊,互補其不足。上下左右複雜交錯,毫無秩序可言。

走在可俯視中庭、模樣樸實的空中長廊上,艾絲抬高自己纖細的下巴。晚霞早以消逝,蒼藍夜空浮著滿天星斗與金色明月。往城市方向一看,炫目燈光從建築物之間滿溢而出,同時還有歡樂喧囂乘著弦樂器的音色隱約傳來。艾絲停下腳步站了一會兒,接著才又往前走。

洛基的個人房間位於其他塔樓圍繞的中央塔頂層。艾絲爬完整段塔樓設置的螺旋階梯,來到

房間前面，輕輕敲了門。
「進來沒關係——」
她打開木製的門，走進室內。
洛基正在整理房間。她搬著一張圓板凳說：「抱歉，再等我一下下喔。」，對艾絲笑了笑。
室內塞滿了雜七雜八的物品。最多的是在房間角落準備了小型保存庫的酒類。色彩形狀五花八門的酒瓶放在房間的每一個角落，還有喝到一半的酒。
桌旁放了看似相當昂貴的羽毛筆，還有帶著淡淡七彩顏色的白色結晶（水晶），舊鞋子與帽子掛在牆上，還有堆積如山的厚重書本與短劍，就連床上也都被淹沒。就算有一、兩樣稀有道具混雜其中似乎也讓人覺得不奇怪。
「好，可以囉。」
誠如洛基所說，她很快就整理好了。
她坐在床上向艾絲招招手，艾絲坐在圓板凳上。
「我就知道是艾絲第一個來——。大概大家也想妳先來吧——」
「是嗎。」
「妳可以自己去確認呀，跟人家講講話嘛。來，衣服脫掉。」
艾絲背對著洛基，照她說的把上衣脫了。
她把及腰的金色長髮束在一起、放到肩膀前面來。沒有一絲傷痕，細緻美麗的背部暴露在洛

基眼前。
「咈唏唏。不好，我有點醉了，搞不好一個不小心手就一滑……！」
神的視線在肌膚上游移，不安分的雙手蠢動起來。
感覺到危險氣息，艾絲借用一把短劍，從將一半劍身拔出鞘，發出「鏘」的一聲。
「啊，我酒已經醒了，沒事了。」
「請妳快點。」
「呃，是。」
冒著汗的洛基即刻展開作業。
她從放在床上的整套器具中取出一根針來，戳了一下食指指腹。
紅色鮮血從傷口冒出，她用這根食指碰觸了艾絲的背部與頸根附近。
接著她以熟練的動作開始移動手指，就像簽名一樣，在艾絲的背上畫出血紅色軌跡，最後「嘿」一聲，畫出一條縱線。
瞬間，就像是開鎖一樣。
艾絲本來應該沒有任何圖樣的背部迅速浮現出彷彿碑文般的朱紅色文章。
「我是有上鎖啦，不過除了神以外好像也有人能用神血（ichor）來解鎖（撬鎖），所以不可以隨便讓人碰妳的背喔？雖然已經講過好幾次就是了。」
「是。」

「不過以艾絲美眉來說，大概沒必要擔這種心吧。」

用橫書形式書寫的成串複雜文字。

那既像石碑又像紋章的刻印，這正是諸神刻在眷族身上的「恩惠」——【能力值】。

以神血為媒介，將諸神使用的【神聖文字】刻在眷族背上，就能夠發掘出各種能力與可能性，藉此產生出一種明確現象。每個刻在背上的【能力值】也可說是代表眷族能力的生命線，無一例外，因此【眷族】的主神們全都費盡心思想隱匿這份情報。

「剛來到下界的那些神啊，好像也有人不知道怎麼上鎖就是了——。要是一被看到背後就通通露餡，那個孩子豈不是很可憐嗎？艾絲美眉，有我這個主神真是太好了喔——」

「應該很少有人看得懂【神聖文字】吧……」

「啊，這倒也是啦。」

為了不讓艾絲無聊，洛基一邊講話一邊進行作業。

她再讓一滴神血滲進艾絲背上，這個時候一如字面所示，背上產生了圓形波紋——漣漪，擴散到整個刻印。確認寫在上頭的【神聖文字】已經變淡，洛基又寫上新的文字，藉此覆蓋掉舊有部分。

艾絲等眷族累積的【經驗值】會經由諸神之手抽取出來。諸神會以這些【經驗值】為材料刻上【神聖文字】，使其化為【能力值】，藉以改變成長的基石。

主要被稱為「更新【能力值】」的行為幾乎都是神一個人手工作業。因此，擁有眾多團員的【眷

族】都會決定日程，或是更新對象的優先順序等等，以應付人數龐大的需求。

「嗯，好了。我寫在紙上，等等我喔。」

「好的。」

替艾絲背後上鎖，讓【能力值】消失後，洛基用羽毛筆把更新過的【能力值】概要記在羊皮紙上。

刻在背上的【能力值】就算用鏡子也看不清楚。再加上【神聖文字】對大多數孩子們來說難以解讀，因此神會將其翻譯為下界一般使用的通用語（Koine）。

艾絲穿起上衣乖乖等待，沒多久作業就結束了。

「喏。」

從洛基手中接過羊皮紙，艾絲掃過上面的文字。

艾絲・華倫斯坦

Lv.5

力量：D549→555　耐久：D540→547　靈巧：A823→825　敏捷：A821→822　魔力：A899

獵人：G　異常抗性：G　劍士：I

能力項目分成S、A、B、C、D、E、F、G、H、I等十個階段，顯示能力的高低。

只有代表基礎能力值的五個基本能力項目有熟練度概念，0～99是I，100～199是H，會隨著S到I的各能力階段而變動。冒險者必須盡力運用該項能力，熟練度才會上升。舉個例子來說明，如果是「魔力」的話，就必須詠唱好幾次咒文，有耐性地一再使用「魔法」，而且還要對目標發揮更強的效力。

除此之外，只有當戰鬥對象的實力與自己相等或比自己更強時，才容易獲得更高級的【經驗值】，各項能力的高低與熟練度才容易提升。說得明白一點，打倒再多弱小的怪獸，對提升能力數值並沒有多大的幫助。

除了這些之外，再加上Lv．上升時可以任意學會的——例如艾絲是「獵人」、「異常抗性」等——發展能力、魔法、技能，這就是【能力值】的全貌。

「……」

看了更新的【能力值】後，艾絲壓抑著感情進入沉思。

太低了。

約莫兩星期，透過「遠征」屠殺了那麼多棲息於深層區域的強敵（怪獸），各項能力的熟練度卻完全沒有上升。

照這樣下去，就算砍倒幾千、幾萬頭怪獸，熟練度頂多也只能增加一、二點吧。

（已經到頂了……）

熟練度的極限值（封頂）為999。能力評價越接近S，數值的成長幅度也會急速縮小，不過造成這次更

新結果的原因恐怕不只這個。

現在的艾絲已經沒有成長空間了。

目前的【能力值】就是艾絲的能力極限，不再有發展的餘地了。跟擅長、不擅長的領域無關。

到達Lv.5已經過了三年。

名為上限的透明牆壁擋在艾絲的面前。

「……」

無法期待有更進一步的成長。

艾絲放棄了現階段的自己，開始估量往下個階級(stage)轉移。

Lv.的上升。往更高器量的昇華。跨越高牆，超越極限。

更強。要更強。貪婪地變強。

為了獲得更強的力量。為了到達遙遠的高處。

為了實現宿願。

艾絲人偶般的表情消失，在心底隱藏著強烈的意志。

「艾絲……」

一旁默默看著她側臉的洛基緩緩開口。

艾絲回過頭時，洛基靜靜地告訴她：

「跌跌撞撞地一個勁往前跑，總有一天一定會摔跤。我常這樣說，對吧？今後我還會一直提

醒妳的。所以，妳可別忘記囉。」

「……」

「妳可以回去啦。晚安。」

她的視線從微笑的洛基身上移開，轉身背對她。

走出房間時，她停下腳步，猶豫了一會兒後，只回了一句：「晚安。」

洛基對著她揮揮手，一直持續笑著。

「……」

她離開房間，步下螺旋階梯。

各座塔的窗戶傾洩出光芒與談笑聲，艾絲一個人走受到昏暗籠罩的長廊上。她沒有去其他地方，而是一直線走到自己的房間，打開門。

這是間冷清的房間。只有桌子、床、窗簾。家具很少，比起洛基的房間，一點裝飾感都沒有。窗戶照進來的月光將黯淡的室內染成深藍色。

艾絲橫越房間，倒在床上。她的身體陷進白色床單裡，靠在窗邊的一把劍映入她轉橫的視野。收在劍鞘裡的劍反射著月光，綻放出冷豔且孤傲的光采。

「……」

艾絲無言地慢慢闔上眼睛。

她將全身交給逐漸飄遠的意識，落入深沉的黑暗當中。

有個少女。
有個感情豐富的少女。
歡笑、驚訝、悲傷、喜悅。
她的表情變化多端，有時染紅了雙頰，無邪地展露笑靨。
眼前攤開著書本，有人在頭頂上述說著故事。
在一整面安穩的潔白中，少女頻頻催促故事繼續說下去。
朗讀故事的聲調顯得結結巴巴，而且滿懷著慈愛。
靠在胸懷裡的少女抬起頭來，一名女性對著她微笑，美麗的金色長髮隨之擺動。她像嬰孩般無垢，與幼小少女沒有任何不同。她們如同一對姊妹。少女也笑了。
最後故事說完了。
永遠沉睡的公主被關在幽暗森林的深處。
一名年輕人使她甦醒過來。
她凍結的心靈因為拯救自己的年輕人而冰釋，兩人長相廝守，過著幸福快樂的日子。
她得救了。

妳喜歡這個故事嗎？女性問道。少女點點頭。

那媽（妳）媽呢？少女回問。女性也點點頭。

我因為有了他，所以也很幸福。她無憂無慮地笑了。

眼中懷抱著羨慕與憧憬，少女將視線落在書本上，然後再度抬頭看她。

女性也無邪地微笑。

「希望妳也能夠遇到美好的對象。」

少女綻放笑容，欣喜地點頭。

場面一換。

周圍瞬間遭到危險的昏暗包圍。

怪物的狂吠響遍四周。

無止無盡地迴盪，凶暴吼叫在那片景象中源源不絕。

天空遭到遮蔽，飄散著潮濕空氣的此地有著複雜的通道交錯，到處都狹窄難行，沉默無語的冰冷牆壁在周圍綿延。

在地下迷宮中，少女遭到醜陋怪獸襲擊。

淚流不止的雙眼帶著恐懼。玉肌擦傷累累，衣角也被泥土、塵埃弄髒。如同斷了線的人偶，她一屁股坐在地上，連逃跑都辦不到。

黑影在眼中越變越大。在她嚶嚶啜泣之時，怪物正緩緩逼近。

在無力的少女眼前，只看到歪扭的爪子朝自己一揮。

下個瞬間呼嘯而過的，是銳利的銀光。

怪物在發抖的少女面前倒地。取而代之的，是一個年紀尚輕的青年。

黑色圍巾、輕薄的防具與銀色長劍。少女睜大了雙眼，撲向他身邊。

青年抱住少女，將手放在她的頭上。

生疏地撫摸頭髮的手沒有任何責備之意，只是那麼溫柔。淚如雨下的少女抬起頭來，他笨拙地微笑。

少女的雙眼頓時變得濕潤。她在青年的身上彷彿看到那個在故事裡的年輕人，抱他抱得更緊了。

青年跪了下來，讓視線與少女齊高，說：

「我無法成為妳的英雄。」

因為我已經有妳的母親（媽媽）了，他接著說，慢慢瞇起眼睛。

「希望有一天，妳能夠遇見屬於妳的英雄。」

以這句話做結。

一切光景逐漸遠去。

「……」

意識逐漸清楚起來。

映入模糊視野裡面的不是夢境的後續情節，而是已經看慣的單調房間。

慢慢撐開眼瞼，艾絲眨了兩三下眼睛。

就這樣發呆了一會兒，然後她慢慢用手撐起躺在床上的身體。

她用還沒有完全清醒的頭腦環顧四周。

昏暗遁形，房間裡很明亮。

陽光從白色窗簾的細縫間透進室內。

早上了。

（……真令人懷念。）

看了看放在牆邊的穿衣鏡，她輕輕擦拭眼角。

好久沒做這個夢了。

這幾年她從未想起，那段行將風化的遙遠記憶。

她好奇為什麼現在會做這個夢，不過立刻就找到了答案。應該是昨天幫助了那個少年，將自己的境遇與他重疊了吧。

從那個白髮男孩身上，她看見了自己的幼小心靈。

「……」

她想起令人印象深刻的深紅眼睛。

那個男生的風貌就像隻兔子。也許是因為發生了很多事，他的形象奇妙地殘留在心裡面。

也許是那隻白兔為自己把夢送來的，艾絲的嘴唇無自覺地描繪出柔和的小小笑意。

「艾絲——？起床了嗎——？要吃早餐囉——」

過了一會，門外傳來蒂奧娜的聲音。

自己好久沒睡得這麼沉了，看來似乎是睡過頭，都過了起床時間了。

是因為遠征的疲勞，還是拜那段追憶所賜的呢？

無論如何，艾絲感受到直到昨晚從沒享受過的安詳。回了蒂奧娜一聲後，她開始打理儀容。

用過早餐，艾絲等人開始處理遠征的善後事宜。

從地下城帶回來的戰利品得拿去換錢，還得維修、重新購買武具，道具也得補充等等，遠征回來後該做的事堆積如山。由於事情實在太多，因此所有團員都出動了。

所有人分配到負責的工作，在正門做好準備的艾絲等人從總部出發。

「晚上有慶功宴喔──！不要遲到──！」

在洛基的目送下，他們經過馬路來到鬧區──西北大街。

歐拉麗有著八條大街。巨大的街道從都市中央呈現放射狀，分別朝北、東北、東、東南、南、西南、西、西北這八個方位延伸出去。又因為都市形狀為圓形，從上空俯瞰的話，看起來一定像是切成八等分的大蛋糕吧。

艾絲等人前往的西北大街一般又被稱為「冒險者街」，在歐拉麗當中聚集了最多冒險者人潮。包括都市……或者該說是地下城的管理機構「公會」本部在內，為數眾多的武器店、道具店、酒店等冒險者必用的商店櫛比鱗次。在大街上稍微轉彎走進後巷，這裡也擠滿了老舊且詭異的商店。

時間剛過早上九點。因為這個時段會有很多人準備前往地下城，所以大道上面盡是為了替迷宮探索做準備的冒險者人潮。扛著大劍的獸人消失在武器店裡，小人族魔導士在道具店忙進忙出地，還有很多揹著背包跟著冒險者的支援者。

其中身為【洛基眷族】的艾絲他們尤其吸引周圍眾人目光。她們的實力在歐拉麗當中首屈一指，沒有人不認識她們，各種不同的羨慕、嫉妒眼光投向她們，其中最明顯的是畏懼的目光。一行人組成的集團，沒有任何人敢擋他們的去路。

艾絲等人面前自然開出一條路。

「感覺好差喔──。伯特搞不好會開心就是了。」

「伯特也沒那麼低級喔，蒂奧娜。他那個人也有自己身為第一級的驕傲與自覺。」

「咦——，格瑞斯，你怎麼替伯特說話啊？最好是啦——」

「以他的想法，蔑視與自大似乎是不一樣的。」

「有聽沒懂——」

順便聊到被迫待在總部處理雜務的青年時，艾絲等人來到建在大街旁的公會本部門前。

白色柱子建造而成的萬神殿（Pantheon）只能夠用莊嚴兩字形容。它擁有設置了紀念碑的寬廣前院，此時正好可以看到許多冒險者在此出入。

一手擔負歐拉麗營運的公會順理成章全權負責地下城與其相關事務的管理。除了登記成為歐拉麗的居民，藉此獲得一定地位與權利保障的冒險者登錄手續外，為了利用從迷宮回收的利益來發展都市，他們積極地向冒險者們公開地下城的諸般知識與情報，而且還會在探索方面進行協助。

在攻略迷宮方面，他們的協助是不可或缺的。

「我和里維莉雅、格瑞斯拿『魔石』去換錢。大家按照預定行程，現在各自前往自己的目的地。換來的錢可千萬不要自己偷偷抽成喔？聽到了嗎，勞爾？」

「小、小的那次只是一時鬼迷心竅啦！小的真的不會再犯了，團長！」

「哈哈。那麼，大家先解散吧。」

從地下城回收的資源，可以拿去請公會或【眷族】買下。

尤其是從怪獸體內取出的「魔石」，包括買賣權在內都受到公會壟斷，因此一定是拿到他們那邊換錢，無一例外。

「魔石」經過加工後可以製成「魔石燈」等各種魔石製品。不只是燈具，魔石製品還有點火裝置、冷凍器等廣泛的運用方式如今已經成了日常生活不可或缺的存在。當然，全世界的需求量也很大。

從無限湧出怪獸的地下城能夠無限度回收魔石，公會藉由獨占魔石的利權，累積起了巨額財富。

無庸置疑，歐拉麗是世界第一的魔石製品出口都市，它享有地下城的恩惠——魔石產業帶來的利益，發展比大陸的一個國家還要蓬勃。

也因為如此，人們才會稱它為世界的中心。

「好啦，我們也走吧。可不要迷糊到半路被人摸走『掉落道具』喔。」

「應該沒有人會找【洛基眷族】的麻煩吧……」

「小心為上嘛，小心為上。蕾菲亞。」

畢竟分量很多、金額也不小，因此「魔石」就交由芬恩等首腦陣容去換錢，其他團員各自組成小集團分頭行動。艾絲等人也在蒂奧涅的率領下前往目的地。

「掉落道具」主要是當成武器、防具的素材。儘管也能在公會換錢，不過只能換到一定的市場價格，也就是能夠換到的最低價位。雖然不用擔心受騙上當，安全值得信賴，但大多數冒險者還是會希望能夠有更高的賣價，因此有不少人都會拿去找商人或商業類【眷族】估價。

當然，這樣會有吃虧的風險，不過如果對自己的交涉能力有自信，跟這些人交涉看看也不失

為一種手段。——順便一提，大部分的新手冒險者都會在這種地方冒險，而且大多數人都會迎接慘澹的下場。一開始還是拿給公會處理會比較保險。

「勞爾他們都會好好交涉，換到好多錢喔，真厲害。要是我鐵定會被騙——」

「他們也吃過不少苦頭，所以才學到很多啊，是團長指示他們這麼做的。妳只是什麼都不肯學而已。」

實際上，光是搬出【洛基眷族】的面子、名號就可以在交涉時派上用場了。因為他們是少數能夠從深層取回珍貴資源的派系，商人還有各家【眷族】都很怕得罪艾絲他們而被列為拒絕往來戶。

團員們很清楚那幾個老主顧需要什麼，帶著各自的「掉落道具」前往西北大街上的各個地點。

艾絲等人則是來到一棟巨大建築物前。

統一用潔白石材興建而成的建築裝飾著象徵【迪安凱特眷族】的光球、藥草徽章。

「歡迎蒞臨，【洛基眷族】的各位。」

「阿蜜德，好久不見——」

一位少女出來迎接艾絲等人，蒂奧娜爽快地向她舉手打招呼。

身為人類的她，容貌讓人腦中立即浮現「精緻人偶」這個詞彙。不到一百五十C的嬌小個頭更加強了這種印象。

頭上的銀白色細柔長髮隨著鞠躬而散落，一雙大眼睛旁長著如夢似幻的長睫毛。服裝是以白

色為基調的【眷族】制服，會讓人隱約聯想到治療師。

阿蜜德・特亞薩納雷。

她是隸屬於【迪安凱特眷族】的團員，跟艾絲等人也都認識。

「今日是為了之前請託各位的冒險者委託一事而來的，對吧？」

「嗯。現在方便嗎？」

「沒有問題。這邊請。」

在阿蜜德的帶領下，前來報告冒險者委託已經完成的艾絲等人在建築物裡面前進。

【迪安凱特眷族】是治療、製藥的【眷族】。派系活動內容主要包括販售自家開發靈藥（回復藥）等等，此外也提供專業治療術與道具。

不僅會販售其他商店、【眷族】沒有辦法弄到手的高級藥品，甚至還會提供復原喪失視力的高等治療術，這些服務都頗受好評。儘管客層有限，不過卻廣受中堅以上階層的冒險者們支持。

設施內分成藥品販賣部、治療病患的診療室、候診室等區域。建築物內門庭若市，看得出來生意興隆。艾絲等人被帶到了服務台的一個角落。

「非常抱歉。現在商談室有人使用，在這裡談好嗎？」

「無所謂。那就進入主題吧。這是冒險者委託所要的泉水。應該有達到指定分量了。妳確認一下吧。」

蒂奧涅將盛滿泉水的瓶子放在櫃檯上。

阿蜜德拿起水瓶，確認過一遍後點點頭。

「確認無誤……。感謝各位完成委託。我代表【眷族】向各位致謝。那麼，報酬在此。還請收下。」

對方準備了二十份萬靈藥。這些在【迪安凱特眷族】販售的商品中品質是最好的，單價不會低於五十萬法利。對於報酬的內容，蒂奧涅的小口張得圓圓的，蕾菲亞則是盯著它們目不轉睛。

這些小瓶子被密封在水晶箱裡面，艾絲坦率地覺得發出淡淡光彩的七色液體很美。

「阿蜜德，其實我們在深層取得了很珍貴的掉落道具。可以麻煩妳順便鑑定一下嗎？如果你們能夠開出好價錢的話，那就在這裡賣了。」

「我明白了。我會盡力。」

「那麼，艾絲。」

在蒂奧涅的催促下，艾絲走到櫃檯前。

她打開手上的長筒容器，將捲起來收在裡頭的掉落道具交給阿蜜德。

「……這是……」

「『卡德摩斯的皮膜』。在進行冒險者委託時，運氣好順便入手的。」

阿蜜德無聲地表示驚嘆。

面對市場上少見的掉落道具，她戴起手套，小心翼翼地用肉眼檢查。

「卡德摩斯的皮膜」是優秀的防具素材，同時也能當成回復類道具的原料。對於商業類【眷

族】來說，如此稀少的掉落道具足以讓他們垂涎三尺。

「……看來是真貨。品質也無可挑剔。」

「是嗎。那麼，開價是多少？」

「那就用七百萬法利買下吧。」

「一千五百。」

——蒂奧涅逮住機會獅子大開口。

蒂奧娜與蕾菲亞都嚇得瞪大眼睛，就連艾絲都有點錯愕，不過她卻露出膽大的笑容。

儘管阿蜜德有如人偶的表情不變，但肩膀震了一下。

「您真愛說笑。我最多可出到八百。」

「阿蜜德？誠如妳所說的，我也覺得這塊皮膜的品質無可挑剔。我甚至敢說它比至今在市場上面流通過的任何一塊都要上等……一千四百。」

熱烈而平靜的交涉揭開了序幕。

突然在檯面下展開的激烈交鋒讓艾絲等人瞬間感受到震撼。

「那、那個，蒂奧涅？」

「團長可是全權託付給我們，要我們『盡量搶錢』喔？我才不會賤價脫手呢。」

「團長沒說成那樣吧！」

使命感——或者該說想得到心上人讚美的企圖心——讓蒂奧涅血脈賁張。

少女只有在這時候才像個亞馬遜人般忠於本能，無論是親妹妹的聲音還是精靈的呼喊都聽不進去。艾絲大氣都不敢喘一個，注視著這幕景況。

蒂奧涅手肘撐在櫃檯上面探出身子，阿蜜德也目不專睛地盯著她看。

「八百五。價格沒辦法再高了。」

「這次與我們廝殺的那頭強龍活力太旺盛，差點沒命了。要是可以把我們削減的壽命一併算進來的話就好了？一千三百五。」

真有臉說……

蒂奧娜等人知道「卡德摩斯的皮膜」是怎麼到手的，用各有所思的視線投向蒂奧涅。

「……我無法擅自決定。請稍待片刻。我去請示迪安凱特神。」

「哎呀，那就不要在這裡換錢好了。我們時間也有限，雖然很可惜，不過還是拿到其他【眷族】請人家買下吧。」

阿蜜德頓時凍住了，蒂奧涅對她微笑。

艾絲等人完全被拋在一旁，只見人偶般的少女像是死了心，輕輕嘆了口氣。

「一千兩百……就用這個價格買下吧。」

「謝謝妳，阿蜜德。在外就是要靠朋友呢。」

聽到蒂奧涅得寸進尺地說著，阿蜜德再度嘆氣。

她從櫃檯後方呼叫其他團員過來，很快就準備好了全額現金。

蕾菲亞惶恐地接下一只大麻袋，大量法利金幣在裡面鏘啷作響。

「對不起，阿蜜德……」

「不會，畢竟是我們先看你們不好拒絕而提出冒險者委託的。」

在交涉的時候不宜道歉，但艾絲還是忍不住這樣說，阿蜜德苦笑著請她別放在心上。「就當作是雙方都吃了虧，扯平了吧。」，她這樣說。

她冰雪聰明，同時也心地善良。作為治療師，她也為艾絲這些冒險者做過許多治療，艾絲她們都對阿蜜德沒有戒心，阿蜜德也很信任艾絲她們，這跟【眷族】的利害關係無關。

艾絲笨拙地回以微笑，買了一點遠征中消耗的高等靈藥(high potion)給自己使用，算是意思一下。蒂奧娜與蕾菲亞也跟她一樣。

走出設施時，嬌小的少女就像出來迎接時那樣深深鞠躬，目送艾絲等人離開。

「啊——，以後看到阿蜜德會不好意思耶……蒂奧涅做得太過火了啦。」

「不拿到這點金額怎麼划得來。阿蜜德也很清楚的。」

「搞不好在阿蜜德不知道的時候，又會有難以處理的冒險者委託送來呢……」

「嗚哇，很有可能耶！那裡的神真的有可能用這種方式出氣！」

包括報酬在內，抱著足夠的金錢，艾絲等人走在西北大街上。

時間離正午尚早，不過冒險者可能都已經去了地下城，街上人數少了很多。只剩下今天或許休息，身上沒穿裝備的同業們。他們到處看看武器、防具，似乎只是純粹在享受購物樂趣。

寬闊的大道兩旁塞滿了大量商店。聊得起勁的蒂奧娜她們，還有光是在旁聆聽的艾絲，店面擦得光亮的櫥窗反射出她們橫越而過的身影。

「那就趕快把報酬（這個）拿去總部吧。拿著到處走實在有點害怕。」

「……蒂奧涅，不好意思，我可以去維修武器嗎？」

「啊，妳要去【古伯紐眷族】？我也去——！大雙刃壞了嘛！」

艾絲客氣地一問，蒂奧娜也馬上說要同行。

除了【眷族】為了遠征而準備的備用武裝外，各團員平常隨身攜帶的專用武器當然都是自己管理。託付性命的武器就像是自己的分身，沒有一個冒險者會交給他人處理。

「真是沒辦法。」，蒂奧涅說。

「那就我跟蕾菲亞把東西拿去總部放吧。我可不想平白惹什麼麻煩。走吧，蕾菲亞。」

「啊，好的。艾絲小姐、蒂奧娜小姐，晚點見。」

兩人與慎重拿好萬靈藥的蒂奧涅，還有抱著金幣袋子的蕾菲亞分開。

蒂奧娜對艾絲笑著說「那就走吧？」，而艾絲也點點頭。

【眷族】的活動內容十分多樣化。

歐拉麗不愧享有迷宮都市之名，以探索迷宮維生的探索類（地下城）【眷族】占了大半，不過像【迪安凱特眷族】這種商業類的派系也不少。只要踏出歐拉麗一步，還可以發現王國、帝國等建立起大

國的國家類【眷族】。

因為主神之間互相仇視經常引發造成動盪的勢力之爭，所以應該說為了避免爭端吧，派系都會充實自身的戰力，這幾乎是每個派系的共通點。

可以說【眷族】的行動理念兼顧了主神的興趣以及實際利益。

「這個地方還是一樣灰暗耶。總覺得陰森森的。」

「呃，嗯……」

「啊哈哈，抱歉抱歉。來，我們進去吧。」

艾絲與蒂奧娜造訪一間石砌平房。

地點位於夾在北大街、西北大街之間的區劃。由於位在後巷極深的位置，房屋排列毫無章法，而且通道既細且窄，氣氛實在稱不上華美。說「只有內行人知道」聽起來好聽——不過說白了，就跟蒂奧娜講的一樣，既陰暗又潮溼。

【古伯紐眷族】。

經手武器、防具等裝備品維修以及製作的鍛造派系。

儘管知名度、勢力規模遠遠低於同行的大企業【赫菲斯托絲眷族】，不過製作出來的武具性能可以說不相上下，可以稱得上是樸實剛毅的【眷族】。大部分他們接到委託後才會製作武器，擁有許多核心冒險者（粉絲）也是其特徵之一。

裝飾在門邊的徽章刻有三把槌子。

「有人在嗎——」

「在嗎……」

走進入口，兩人進入與「工房」這個詞十分相襯的建築物內。

室內與外頭一樣昏暗，有鐵匠占據火爐旁的位置，有人則是運用工具雕刻金屬，好幾位工匠各自投入自己的作業。

「歡迎光臨……哇，天啊！是【大切斷(亞馬遜)】！」

「是蒂奧娜・席呂特！」

「我說啊，可不可以不要用綽號(那個)慘叫啊……」

看到對方好像遇上怪獸的反應，蒂奧娜半瞪著眼鬧彆扭。

【古伯紐眷族】的團員們一下子慌亂起來。

「師傅——！破壞狂(crasher)出現啦——！」

「該死，今天你又想怎樣啦！」

「我來找你們再做一把武器的。」

「烏、烏爾加怎麼了！那可是我們用上多到不行的超硬金屬(堅鋼)，不眠不休鍛造而成的專用武器(客製品)耶！」

「溶掉了。」

「Noooooooo——！」

師傅——，師傅——！眾人慘叫連連，艾絲自顧自地走過他們身邊，進入裡面的房間。

房間裡面有一尊老人外貌的男神。

刻著皺紋的容貌端正，鼻梁也很高。他一頭白髮，還蓄著長度剛好擋住口部的白鬍子。魁梧的身材沒有一點贅肉，肌肉結實，讓人隱約聯想到矮人。

仔細磨著短劍的神——古伯紐側眼瞄了一下艾絲。「怎麼啦。」，男神用低沉的聲音向她問道。

「我是來請您維修武器的。」

艾絲提出的訂單通常都會先交由主神古伯紐過目。

不曉得是不是特別賞識艾絲，總之他嚴令團員，在艾絲提出委託時一定要先通報他一聲。

「……妳又這樣亂用啊。」

細細端詳過交到手上的〔絕望之劍〕，古伯紐嘟噥道。

儘管不壞屬性的劍絕對不會毀壞，不過銳利度、威力仍會下降。

普通用法不太容易發生這種狀況，只可惜艾絲並不是普通人。

「刀刃劣化得很嚴重啊，砍了什麼？」

「能夠溶化任何物體的液體，還有吐出那種液體的怪獸，砍了好幾次……」

沉默寡言的鍛造神瞇細了眼睛，持續觀察著〔絕望之劍〕。艾絲也不是個能言善道的人，於是寂靜的景象持續下去。

古伯紐似乎透過了綻放暗沉光澤的劍身正確研判出磨損的徵兆。

「要恢復到原本的銳利度得花點時間。我拿一把代替的給妳，暫時將就點用吧。」

聽到古伯紐的提議，艾絲大吃一驚，正打算說武器她會自己準備。

不過古伯紐的眼神阻止了她的發言。

「反正水準不夠的武器三兩下就會被妳用壞了，妳就別跟我爭了吧。」

「……」

找不到話反駁，艾絲就這樣被迫收下了代用的劍。

古伯紐站起身來，到別的房間拿了一把細長的細身劍。跟其他細身劍相比，它的劍身格外地長，整體裝飾較少，不過劍格部分則是做成護手甲的樣式。

艾絲將細身劍從劍鞘裡面拔出。

她注視著經過徹底磨亮、發出淡淡光輝的劍刃，知道這是一把上等好劍。

單就威力而言，想必比『絕望之劍』更強吧。

「我會讓團員們（那些傢伙）盡快維修。五天後再來吧。」

「好……謝謝您。」

封印了「神力」的古伯紐，只有鐵匠的技術，沒有任何特別力量。負責作業的終究是團員。

艾絲向他一鞠躬，他用鼻子哼了一聲，回到了原本位置去處理他剛才的工作。

看到他一如往常的反應，艾絲也抬起頭來客氣地離開房間。拿著細身長劍，她與還在跟人拌嘴的蒂奧娜會合，走出了建築物。

佩帶在腰際的劍似乎比愛劍重了一些。

遠征後舉辦盛大酒宴是【洛基眷族】的慣例。

透過慰勞眷族的名義，由嗜酒如命的洛基率先大擺宴席，團員們也只有這一天能夠盡情玩樂。

等到遠征善後處理告一段落，天色已經變暗，東方天空開始帶有夜晚的蒼藍。總部就交給沒有參加遠征的部分團員留守，在他們羨慕地目送下，艾絲等人前往西大街。

歐拉麗的西區不同於西北大街，住著許多一般市民。

以全世界魔石製品交易為主要產業的歐拉麗雇用了許多負責生產製品的勞工。在公會裁奪下產生的雇工，據說這些人的數目比探索地下城的冒險者還要多。當然，這些勞工也居住在都市裡頭。

沒有加入【眷族】的無眷族勞工大多定居在西區這裡，並跟他們的家人一起過生活，因此形成了大規模的住宅區。

不用說，最繁華的大街上面有許多像酒館、旅店的店家比鄰而立，還有不少冒險者會來這裡追求純樸且自然的鎮上姑娘。

「我不太常來，不過這附近也很熱鬧，真是不錯呢。」

「嗯，比起只有冒險者的西北大街，我比較喜歡這裡呢。」

不過是脫下危險裝備的人群，營造出來的氣氛就顯得輕鬆許多。

結束一天工作的勞工們暢快飲酒，純樸的店花們正在招攬客人。當精悍的冒險者出言調戲這些女孩時，她們似乎也半推半就，不過當地青年們可不允許這種事情發生，介入了雙方之間，兩邊互瞪了好一會兒後……竟然開始用拚酒的方式一決勝負。遮著小口、捧著肚子的店花們與周圍的客人也來湊熱鬧，盡情狂歡。

看到魔石燈光照亮的大道上盛況，交談到一半的蒂奧娜、蕾菲亞都忍不住笑了。

「蜜雅媽媽——，我們來囉——！」

當夕陽餘光消逝，夜晚完全降臨時，一行人抵達了洛基事前預約的酒館。她一呼喚酒館女店主的名字，女服務生打扮的店員立刻出來迎接艾絲等人。

這條西大街上最大的酒館「豐饒的女主人」是洛基特別中意的一家店。想必是清一色女性店員與那套女服務生制服觸動了她的心弦，這點艾絲他們早就明白了。

「各位的座位分成店內席，還有這邊的露天席。還請包涵。」

「嗯，知道了。謝謝。」

酒館設置了露天咖啡座。

應該是考慮到店內無法容納艾絲他們所有人，所以才這樣安排的。芬恩向恭敬有禮的精靈店員表示瞭解，在進入酒館前先讓半數團員在露天席就座。

其餘的艾絲等人則是被帶往店家入口。

「歡迎光臨——！」

酒館裡面坐滿了人。許多種族的人們喝酒歡鬧；相襯之下，艾絲等人預約而空著的座位顯得很不自然。很多客人都跟洛基一樣，是專程為了店員來的，看著那群美少女服務生，一副想入非非的德性。

不過她們與外頭的店花似乎不太一樣，被調戲時有時候會四兩撥千斤，有時還會反擊，讓對方吃不完兜著走。洛基也一下子就遭到獸人（貓人）店員的迎擊。

店內都是用木板構成，內部裝潢比其他酒館沉穩許多。天花板上的魔石燈也減少亮度，呈現出些許時尚氛圍。

「這裡的料理好好吃喔——。每次都不小心吃太多——」

「妳這婆娘哪一次不是吃個不停……」

看到【洛基眷族】來店，冒險者客人們照例臉色大變，開始竊竊私語，不過蒂奧娜等人不以為意，入席就座。

艾絲也感覺到許多視線盯著自己的臉，不過她沒做任何反應，不予理會。她早就習慣他人好奇的目光了。

「……？」

無意間，她感覺到一個性質不同於周遭的視線。

說不上來……就是一種直率的眼神。沒有帶刺的感覺。

儘管很在意，不過蒂奧娜跟其他人都在催她，因此她也不再追究，在椅子上坐了下來。

「好，地下城遠征，大夥兒都辛苦了！今天是宴會！喝吧！」

洛基站起來帶頭乾杯，接著所有人一起互撞啤酒杯。團員們氣氛漸漸熱絡，艾絲也略為舉起酒杯，與蒂奧娜還有其他人乾杯。

店員帶領艾絲等人就座的是位於店內角落的座位。旁邊隔著窗戶就是露天座，可以開門自由進出。送上的料理和酒全都美味可口，團員們伸手的動作也自然地加快。尤其是清爽的水果酒與香草烤雞堪稱絕品。

「團長，我為您斟酒。請用。」

「嗯，謝謝妳，蒂奧涅。不過妳從剛才就用非比尋常的速度灌我酒呢。把我灌醉以後，妳想對我做什麼？」

「呵呵，我沒有別的意思呀。來，再一杯。」

「這個娘們真的永遠都一個樣……」

「唔喔――，格瑞斯――！跟我比喝酒啦――！」

「哼，可以，讓妳知道老子的厲害。」

「順便一提，贏的人可以獲得自由處置里維莉雅咪咪的權利作為獎品！」

「小、小的也要參加！」

「我也要啊啊啊！」、「我也要！」、「還有我！」、「嗝。啊，那我也參加吧。」

「團長——！」

「里、里維莉雅大人……」

「隨他們講吧……」

在鬧成一團的同伴身旁，艾絲維持自己的步調吃著東西，不過想也知道當然會受到波及。也許是有了三分酒意，都失去了自制心，平常客客氣氣的後輩團員們好像希望艾絲也開心點——抓準了這個機會增進感情——遞出酒杯，讓她傷透腦筋，不由得微微苦笑。

「好了，你們。不要灌艾絲酒。」

「……咦，艾絲小姐不會喝酒嗎？」

幸虧有里維莉雅出面解圍，不過坐在左側的蕾菲亞向她問道。

當艾絲不知道該如何解釋時，在右側把端來料理不斷塞進口中的蒂奧娜仰頭灌了一口杯中物。

「嗯咕……噗哈。讓艾絲喝酒會很麻煩喔，對不對——？」

「……」

「咦，什麼意思？」

「該說她不會喝酒，還是說發酒瘋都不夠形容……洛基曾經差點被她宰了呢。」

「蒂奧娜，拜託……別說了。」

「啊哈哈！艾絲臉好紅喔——！」

她紅著臉頰低下頭去，被蒂奧娜從旁邊貼了上來。慌張失措的蕾菲亞與笑個不停的蒂奧娜，逗得艾絲也抬起紅通通的臉露出一絲微笑。

無論是店內還是露天座，大夥兒的聲音越來越開懷。酒與料理轉眼間被一掃而空，女服務生們的動作也變得更加俐落。

周圍客人也笑聲不斷，眾人度過一段堪稱愉快的時光。

「對了，艾絲！把妳那件事情講給大家聽聽嘛！」

過了一會，就在大家以洛基為中心聊著遠征話題聊得正起勁時。

坐在艾絲斜正面似乎有些醉醺醺的伯特催促她講出某件事情。

艾絲看著心情愉快的他，偏了偏頭。

「就是那個啊，回來途中讓幾頭彌諾陶洛斯跑了！最後一頭妳不是在第5層解決了嗎？就是妳那個時候遇到番茄小子的那件事嘛！」

——艾絲明白他想說什麼了。

自己搭救的，那個白髮少年。

「你說的彌諾陶洛斯是在第17層襲擊我們反被我們擊退，立刻集體逃跑的那一群？」

「就是牠們！真不知道是什麼奇蹟讓牠們一直往上層跑，害得我們措手不及，追了半天的那群！那時候我們可是回程耶，累得半死還玩這種把戲——」

蒂奧涅確認了一下，伯特把啤酒杯往桌上一砸，一邊點頭。

他講話的聲調比平常亢奮，讓艾絲有種不好的預感。

洛基等人都專心傾聽，伯特詳細闡述起當時的狀況，然後講出了這句話：

「然後啊，就看到那裡有個一看就知道是剛出道，軟腳蝦的冒險者！」

——別說了。

艾絲反射性地在心中喃喃自語。

「真是笑死人了，跟個兔子一樣被逼到牆邊！渾身抖個不停，看了真叫人可憐，表情還在抽筋咧！」

「哦？結果那個冒險者怎麼了？得救了嗎？」

「艾絲在千鈞一髮之際把彌諾牛砍成碎片了，對不對？」

艾絲不知道自己現在是什麼表情。

她不知道該如何形容胸口深處的焦躁情緒。為什麼自己的心情會被打亂？她向腦海角落的昨天那個白髮少年問道。

她將自己的幼小心靈、那段珍藏於內心的記憶與少年重疊，對自己問道。

「結果那傢伙，全身被那頭臭牛的血澆個正著……變得跟顆紅通通的番茄一樣！咯咯咯，咿——，肚子好痛……！」

「嗚哇……」

蒂奧娜皺起眉頭呻吟。

光是這樣就傷了艾絲的心。

「艾絲，妳那是故意的吧？是吧？拜託妳告訴我，妳是故意的……！」

「……不是的。」

面對笑到眼淚快掉出來的伯特，艾絲只勉強從喉嚨裡擠出這句話。

其他客人偷聽發出的竊笑，咬著艾絲的耳朵不放。

「而且啊？那個番茄小子竟然一邊鬼叫一邊跑走了……噗！我們的公主殿下救人，卻把人家嚇跑了！」

「……嘻。」

「啊哈哈哈哈！那真是有意思——！嚇到冒險者的艾絲美眉好萌——！」

「呵，呵呵……對、對不起，艾絲，我實在忍不住了……！」

周圍頓時哄堂大笑。

蕾菲亞、洛基、蒂奧涅，所有人都忍俊不住笑出聲來。

她感到只有自己的周圍開出一個大洞。

只有自己被拋下，世界離自己越來越遠。

「啊啊啊，唉呦，不要擺出那麼可怕的眼神嘛！可愛的臉蛋都變醜囉——？」

蒂奧娜湊過來看她的臉時，艾絲很想問她。

自己現在，是什麼樣的眼神？

為了那個少年，自己能擺出了什麼樣的眼神？

「不過啊，好久沒看到那種窩囊廢了，我心裡實在很不痛快。明明是個男人，還那麼愛哭。」

「……唉呀——」

「實在太難看了。真是，那麼愛哭的話，一開始就不要當什麼冒險者啊。看了就噁心，是不是啊，艾絲？」

放在桌子底下腿上的手握成了拳頭。

忽然間她感覺到一個視線，眼睛轉過去一看，只見里維莉雅噤口不語，閉著一隻眼睛，注視著艾絲。

艾絲察覺到，在身邊這些人中，只有她表面保持沉默，心情越來越不愉快。

「我是覺得就是那種人降低了我們的格調啦，實在很想叫他們像樣一點。」

「你囉嗦夠了沒有？伯特。讓彌諾陶洛斯逃走是我們的失誤。我們本來應該向那個遭到波及的少年道歉，而不是拿來當成酒席話題。你應該懂得知恥。」

里維莉雅將視線從艾絲身上移開，柳眉倒豎。

聽到她平靜的責備語氣，本來還笑得花枝亂顫的蒂奧娜等人都尷尬地別開視線，只有伯特仍然不肯罷手。

「哦——哦——，不愧是偉大的精靈，真是高尚啊。但是啊，擁護那種沒救的傢伙對妳有什麼好處？只能用來掩飾妳自己的失敗，自我感覺良好而已吧？說垃圾是垃圾有什麼不對。」

「喂，伯特，里維莉雅，你們都別說了。酒都變難喝了。」

洛基看不下去，當起和事佬，但他還是一樣出言不遜。

被里維莉雅一激，伯特過度強烈的自我個性完全著了火，他毫不掩飾嘲笑之意，視線再度看向艾絲。

「艾絲，妳怎麼想？那個在妳面前只會發抖的窩囊廢，竟然跟我們一樣自稱為冒險者喔？」

「……我覺得在那個狀況下，怪不得他。」

「什麼嘛，裝什麼乖啊。……那，我換個問題吧？那個小鬼跟我，妳比較想跟哪個湊一對？」

這個強硬的問法讓芬恩有些訝異。

「……伯特，你喝醉了嗎？」

「囉嗦。喂，艾絲，快選啊。身為雌性的妳比較想跟哪個雄性搖尾巴，想跟哪個雄性翻雲覆雨一番啊？」

只有這個時候，艾絲對伯特產生了明確的厭惡感。

她毫不猶豫選擇了腦海裡面的那個少年，而不是眼前的青年。

「……我只知道，我絕對不要跟講這種話的伯特一起。」

「真是丟人現眼。」

「閉嘴，老太婆。……那是怎樣，要是那個小鬼膽敢當著妳的面說喜歡妳啊、愛妳什麼的，妳難道會接受嗎？」

「……」
激動的感情被澆了一桶冷水。
這個她辦不到。
不可能。
艾絲沒有多餘精神去理會弱者。
她無法為了在遙遠後方的人停下自己的腳步。
艾絲的眼睛總是看著前方、朝向高處。
在那個前方，有著非得實現的願望。
艾絲已經無法變回過去弱小的自己。
「哈，當然不可能啦。比妳自己弱小、軟弱、無可救藥，空有幹勁卻沒有成果的小角色根本沒有資格站在妳身邊。不用別人來說，妳也不會同意。」
「一個小角色是配不上艾絲・華倫斯坦的。」
當他說出了艾絲無法否定的這句話後。
緊接著，
一個人影在店內角落站了起來。

「貝爾先生！」

隨著少女店員的叫喊，一個少年飛奔而出、衝向店外。

當少女追上去時，艾絲的眼睛清楚看見了那個少年的容貌。

（——）

一瞬間她說不出話來，然後霍然起身。

突然發生的狀況讓周遭不知道發生了什麼事，艾絲不理他們，自己也跑向外頭。

（他是那時候的……）

初雪般的白髮，還有水滴……懊悔眼淚閃閃發光的深紅雙眼。

全部被他聽見了。

被艾絲搭救的那個少年聽見了。

她出了店門口，環顧大街。艾絲發現少女店員跑向右手邊通往地下城的都市中心，但她卻無法挪動腳步。

她無法跟著追上去。

——貝爾。

她輕聲念出少女店員呼喊的名字，一再回味。

艾絲昨天搭救的冒險者的名字。艾絲今天所傷害的少年名字。

為艾絲送來一場夢，讓她想起那個夢境的白兔。

「……」

背後傳來團員們連聲呼喚自己的聲音，她只是站著不動。

如果是以前幼小的自己，一定會勇敢追上去吧。

一定有辦法去追逐那個恐怕正朝著地下城，那個大地洞穴前進的少年吧。

然而，現在的自己無法追過去了。

現在的艾絲已經無法追逐白兔了。

第四章

冷靜與熱情之間

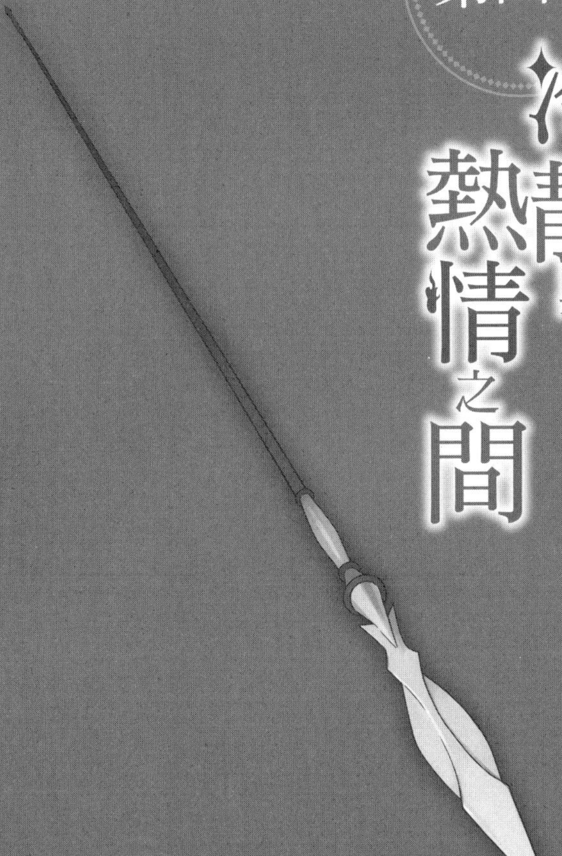

Гэта казка іншага сям’і

Яна знаходзіцца паміж
запалам, што яна спакойная.

Copyright ©Kiyotaka Haimura

朝陽升上東方天空，照耀著廣大街市。
晨曦逐漸普照圍繞在高聳市牆內的歐拉麗。
清涼的空氣環繞著整座都市。
「艾絲美眉，今天也沒精神喔……」
洛基倚著矮牆輕聲說道。
這裡是總部的空中長廊。從連接兩座塔的石砌長廊可以俯瞰中庭。
在洛基的視線方向，種有幾棵庭樹與些許草皮的空間裡，金髮少女一個人坐在長椅上頭。
「她從昨天——整天都是那個樣子耶……」
「艾絲會這樣無所事事，這已經不是稀奇，根本是不可思議了。」
「就是唄……」
除了洛基，在長廊上還有一位亞人靜靜望著艾絲。
柔順的翡翠色長髮與同色的眼睛。修長身材明顯給人窈窕的印象，展露出精靈特有的纖柔曲線。白皙肌膚甚至顯得晶瑩剔透。
散發出伶俐英勇氣質的麗人——里維莉雅，與手肘撐在矮牆上的洛基交談。
「要是平常的話，就算遠征剛結束，她也會立刻衝進地下城，誰來勸都不聽……好吧，她能夠像這樣待在我看得到的地方，我也比較安心就是了。」
「這點我同意，不過……」

背對著矮牆的里維莉雅，比明眸皓齒的洛基還要明豔、端莊的相貌露出了淺淺的苦笑。

如果艾絲的容貌能夠與女神媲美，那里維莉雅的姿容更是愧煞女神。事實上，她過去的確也因為這副絕色美貌在不知不覺間招致多少女神嫉妒。

她不只是俊美的精靈族，更是繼承了高貴血統的王族（high elf）。

本來她應該在隱藏於森林深處的精靈鄉度過一生，連諸神都不願意接觸的，不過卻因為一段迂迴曲折的經過而來到了這座迷宮都市。

王族對同族而言是敬畏的對象，所以包括蕾菲亞在內，所有精靈都出於敬意叫她一聲大人，不過她本人卻感到非常不快。

「她會那樣悶悶不樂，應該是酒館那件事情造成的吧。」

「被伯特性騷擾真的讓她那麼不愉快啊。啊，順便說一下，伯特現在也非常沮喪喔。」

「誰理他啊。活該。」

在酒館舉行的遠征慶祝會已經是兩天前的事情。

艾絲一個人跑出店外後，蒂奧娜等人一擁而上對伯特展開報復。她們把伯特當成「惹年輕女生不高興，還害她中途離席」的萬惡根源用繩子五花大綁，接著把他吊在店門口外頭。為了替艾絲出氣，里維莉雅也——還有因為伯特膽敢叫她老太婆——踩了他的腦袋瓜子一腳。

等到酒醒了聽到整件事情經過，現在的伯特只覺得悔不當初，慚愧得頭都抬不起來，還被蒂奧娜等人攔住，連接近艾絲一步都不行。

正好可以治治那個狼人（werewolf），說出這番話的里維莉雅吐了一口氣。

「可是艾絲美眉沒有纖細到會因為那種對話而消沉啊……」

「也就是有其他原因了。」

「八成吧。而且只有艾絲美眉自己知道。」

里維莉雅偏著頭，瞥了一眼在中庭發呆的艾絲。

想到當時酒館裡面的，就是在艾絲之前跑到外面的店員，還有一個沒能看清楚身影的客人吧。因為事情開始、結束得太快，里維莉雅還沒來得及理解狀況，不過對艾絲來說，想必是有什麼事物無法忽視吧。

因為那件事情，她心裡在想什麼，又為何憂鬱，如同洛基所說，她們無從判斷。

「要怎麼辦？放著不管嗎？」

「這個嘛。如果她恢復元氣，又精神百倍地窩進地下城，這樣我也很傷腦筋就是了。」

「嗯——」，洛基發出拖拖拉拉的聲音，最後「嗯！」了一聲，從矮牆邊立起身子。

「拜託妳啦。」

「……什麼？」

「就交給里維莉雅了。比起我胡亂插手，這樣應該比較好啦。」

「而且啊，」，洛基在里維莉雅還沒來得及說什麼前又搶著說：

「妳根本沒打算放著她不管，怎麼可以一副事不關己的樣子，說什麼『放著不管嗎——』。

妳很想問她發生了什麼事情吧？」

「……」

洛基笑嘻嘻地學自己講話——而且一點也不像——儘管這樣讓她有點惱火。

但自己的真正想法被看透，讓里維莉雅蹙起了優美的雙眉。

「好啦，之後就拜託妳啦，做媽媽的。」

走過自己眼前時，洛基在里維莉雅肩上拍了一下就離開長廊了。里維莉雅沉默地望著主神把手交疊在後腦杓離去的背影。

在【洛基眷族】中，里維莉雅・利歐斯・阿爾弗是資歷最老的成員。

洛基不用說，她與艾絲也認識好幾年了，而且交情匪淺。

「……誰是媽媽了。」

她嘴上抱怨，心裡卻沒有反感。

面對這樣的自己，里維莉雅無奈地嘆了口氣，走向中庭。

「艾絲。」

中庭彷彿圍繞著中央塔，呈現出圓環形。

周圍有好幾座塔並列，採光不是很好，不過團員們悉心照料的花草都長得欣欣向榮，還設置了小小的噴水池與魔石燈柱。

下樓來到中庭的里維莉雅一邊踏著草坪前進，一邊出聲呼喚艾絲。

「里維莉雅……」

「還是一樣起得很早呢。不過沒看妳在練劍就是了。」

艾絲坐在樹蔭下的長椅上。

細身劍立著靠在樹根處，那不是她本來的愛劍。大概是來這裡想做每天的揮劍訓練，但卻沒有那個心情，所以就擱著了吧。

她與里維莉雅四目交接後，金色眼眸焦點悄悄落在草坪上。

「……」

「……」

兩人之間沉默了一小段時間。

里維莉雅猶豫一下該如何開口，但又立刻覺得沒有必要緊張，於是便捨棄了這個想法。

不要拐彎抹角。

這是自己和她之間的慣例。

「發生什麼事了？」

艾絲抬起頭來，視線稍微游移。

里維莉雅看出她內心的糾葛，暫且佇立在原地不動。

過了一會，艾絲開始慢慢吐露。

「在酒館提到，那頭彌諾陶洛斯的事……」

「嗯。」

「我，救了一個男生……一個冒險者……」

里維莉雅傾聽著她訴說的內容，聽到後來她漸漸明白，同時也感到頭疼。

想不到被取笑的對象居然就在酒館裡面。

與兩天前的狀況相比，她才明白當時發生了什麼事。她立刻覺得悔不當初，應該馬上阻止那段話題的。

艾絲說出了一切，疑問暫且獲得解答。里維莉雅悄悄觀察一下她的臉。表情看起來跟平常一樣缺乏變化，不過卻很陰沉。艾絲很沮喪，這點她清楚得很。

雖然不是直接傷害了那個少年，不過間接成為誘因這點似乎讓她相當難過。

難得見她被地下城、鍛鍊以外的事情影響情緒，里維莉雅不知道該不該高興，她向消沉的艾絲再度問道：

「妳想怎麼做？」

她只對略微低著頭的艾絲這樣問，其他的便不再多說。

里維莉雅不勉強她做決定，等她從心中找到答案。

「……我不知道，可是……」
最後。
「我想我應該，是道歉……」
她小小聲地如此回答。
「是嗎……」
「……」
對話中斷了，如同早就算好了似的，這個時候響起了傳遍整棟宅第的鐘聲。
這是告知早餐時間到了的信號。
「缺乏自信的話，就繼續苦思。只要願意跟我說，我也會幫妳出主意。」
「嗯……」
「早餐時間到了。走吧。」
兩人一起仰望傳出鐘聲的塔後，里維莉雅如此說道，然後轉過身去。
大方向已經給了。
之後不應該再說些什麼。儘管笨拙，也希望她能夠慢慢摸索出自己想做的事情。里維莉雅抱持著如此希望。
會這麼做也是為這位盲目的少女好，這是出自她一片父母心。
「里維莉雅……」

「？」

「……謝謝。」

里維莉雅從少女不變的表情中發現一絲溫情。「啊啊……」，她不禁也放鬆表情。接著里維莉雅重新轉向正面，從中庭前往塔樓。

艾絲的陰沉臉色還沒恢復開朗。

如果這樣能夠幫助她平復心情就好了，只可惜里維莉雅本來就不擅長激勵別人。

（雖然無意搬出洛基的話來說，不過……）

因此接下來，就只能照主神所說的，適材適用了。

她決定交給那幾個丫頭為少女打氣。

「唔——」

蒂奧娜雙臂抱胸，發出呻吟。

「蒂奧娜小姐……？」

「妳在怪叫什麼啊。」

在早晨的餐廳裡，被蕾菲亞與蒂奧涅盯著瞧，她陷入沉思。

「艾絲還是很沒精神。」

吃完早餐後，本來在自己身旁的艾絲已經不見了。

今天她們四個人照常一起吃飯。跟她講話時，她會像平常一樣簡短回應，看來好像沒什麼不同。

可是。

蒂奧娜知道的。

儘管艾絲還不至於強顏歡笑，但也不是平常那種狀態。

「只是在生伯特的氣吧？讓她自己靜一靜吧。」

「不，我覺得跟伯特應該沒啥關係。也許有那麼一丁點關係，不過艾絲打從一開始就沒有把那個狼男的事情放在心上。」

「妳喔，在酒館明明把伯特修理成那樣……」

「艾絲是因為別的事情還在消沉啦。」

蒂奧娜不擅長思考。

她無法想到艾絲的心情做些貼心舉動，也沒有辦法替她消除煩惱。就算跑去多管閒事，一定也只會弄巧成拙。

至今是這樣，以後也是這樣，蒂奧娜只能表現得活潑開朗，試著逗艾絲開心而已。

「蕾菲亞、蒂奧涅。今天有什麼預定嗎？」

「沒有耶。」

「我今天一樣要去幫團長的忙……」

「那就是有空囉，妳們今天陪陪我吧！」

「等一下啦！」

不要管那些小問題。

說穿了，蒂奧娜就是不想看到艾絲無精打采的模樣。

她希望能夠看到艾絲有如山嶺上綻放的小白花般內斂、清純、隨著風兒搖曳微微開花的微笑。

自稱是艾絲摯友的蒂奧娜撞開椅子站起身來。

「我去找艾絲！」

她猛然衝出大餐廳。

就像是一開始奔跑就停不下來的山豬，又像是毫無迷惘遨翔天際的鳥兒，蒂奧娜在總部裡面四處飛奔。

房間、閣樓、書庫、會客室。每看到一扇門就推開，又在樓梯爬上爬下。團員們驚訝的表情好幾次闖進她的視野。她也去過洛基的個人房間，但只聞到刺鼻的酒味，房間主人不在。蒂奧娜哀叫著捏住鼻子，再度飛奔而出。

她在長廊上面來回好幾趟。

「……喂。」

「哇！」

正當她在狹窄的走廊上奔跑時。

一條長腿像橫木一樣頂在牆上，擋下了蒂奧娜。蒂奧娜險些沒撞上，勉強停了下來，並瞪著突然跑出來擋人的伯特。

「很危險耶！你讓開啦，伯特！」

酒館那件事還在讓蒂奧娜不高興，她加重了語氣。

對於全面表示敵意的她，伯特嘴角向下彎，用下巴比了比窗外。

「妳找艾絲的話，她在中庭。」

「咦……」

看了一眼愣住的蒂奧娜，伯特把腿移開。

他癟著嘴，鬧脾氣似的用手抓抓那頭灰髮，立刻離開了。

蒂奧娜一下子不知該做何反應，看著消失在走廊另一頭的背影，閉起兩隻眼睛吐了一下舌頭。

然後坦率地往中庭跑去。

「！」

正如伯特所說，艾絲在那兒。

她坐在樹下的長椅上，視線對著天空。

蒂奧娜頓時笑逐顏開，跑向她身邊。

「艾——絲！」

「……蒂奧娜？」

看到她出現在眼前，金色雙眼眨了眨。

蒂奧娜握起她纖細的雙手，讓她從長椅上站起來。

「我們去買東西吧！」

與蕾菲亞她們會合後，蒂奧娜帶著艾絲來到街上。

北大街距離位於都市最北端的總部不遠。這條大道附近還有公會相關人士居住的高級住宅區，因此也是條活力充沛的商店街。

道路中間有好幾輛馬車交錯駛過，許多亞人在路上闊步。

「真是，硬是把人帶出來……」

「又不會怎樣，偶爾嘛！蒂奧涅之前不是也說，想去血拼個過癮散散心嗎！」

「那個，蒂奧娜小姐，所以我們要去買什麼呢？」

「衣服，去買衣服吧！艾絲也ＯＫ吧？」

「呃，嗯。」

握緊了艾絲的手，蒂奧娜率先帶領大家前進。
北大街一帶以服飾相關行業聞名。
種族之間在穿著方面的隔閡意外地大。包括小人族、個頭矮但體型橫寬的矮人在內，除了體格問題外，還有種族配合風土等等性質不同的狀況。聚集了世界各地眾多亞人的歐拉麗，這種問題相當顯眼，過去做衣服時與客人之間總是糾紛不斷。
不過，商人們卻刻意著眼於這點。
他們開了許多家專為各個種族服務的商店，很快就獲得了信用與銷售成績，還有一部分的商業類【眷族】加入市場，為歐拉麗的服飾業發展起了推波助瀾之效。
歐拉麗當中，尤其是北大街附近，有著整個大陸無人能及的大量服飾店櫛比鱗次。
「蒂奧娜小姐，比起大道上的商店，我覺得後巷裡面的商店款式比較豐富耶？而且店家也很多。」
「我知道，我跟蒂奧涅常去的店就在前面那條路轉彎，走一下就到了！」
「咦？蒂奧娜小姐妳們常去的店該不會……」
蕾菲亞的語氣中帶有危機感，一旁的蒂奧娜一樣拉著艾絲的手往前走。跟她說的一樣，轉過轉角，走進熱鬧紛雜的後巷，不久後便來到了她們要去的店。
「這、這裡是……」
仰望著紫色基調的看板與店面，蕾菲亞僵住了。

從敞開的門外也能夠窺見那些極為暴露的服裝，這裡是亞馬遜人的服飾店。

「好久沒來了，偶爾我也盡情選購一下吧。」

「艾絲，走吧！」

「呃，那個——」

艾絲被蒂奧娜、蒂奧涅夾著帶進店裡，蕾菲亞也急忙追在後頭。

就結論來說，對亞馬遜人以外的種族來說，這家店裡面實在太傷眼了。

櫃檯後方掛起來展示用的商品盡是些只要是擁有一般羞恥心的人就一定會想別開視線的服裝。既然是專為女戰士（亞馬遜人）設計，當然全都是女性服飾，彷彿舞者般的民族服裝特別搶眼。至於亞馬遜人店員，更是穿著跟內衣沒有什麼兩樣的打扮。

蒂奧娜與蒂奧涅正在請店員把衣服拿來給她們看看，艾絲臉頰稍微泛紅，與臉已經紅到極點的蕾菲亞面面相覷。

「艾絲，要不要穿穿看這件？妳的身體線條很纖細，一定很好看。」

「怎、怎麼會變成要艾絲小姐穿這家店的衣服啊！」

「又不會怎麼樣，難得來了嘛。蕾菲亞要不要也試試？」

「我、我才不穿呢！」

看到蒂奧涅手上開高衩的衣服，蕾菲亞搖頭搖個不停。視線游移的艾絲也顯得有些畏縮。

也許是受到降臨下界的天神影響，不顧節操嘗試其他種族服飾的盛裝打扮（流行趨勢）正在一點一滴地浸

透下界。

按照不同的場面與用途，也有那麼一、些人會出於興趣嘗試其他種族的衣裝。

「艾絲，這件怎樣？跟我一樣喔——」

「呃，這個……」

蒂奧娜推薦的是紅色裹裙與裹胸的穿搭。

看到這件跟蒂奧娜目前穿著類似的服裝，艾絲終於臉紅了。

「不——不可以！」

蕾菲亞肩膀顫抖，爆發了。

「怎麼可以，怎麼可以讓艾絲小姐穿這麼淫穢的衣服，這種事情我絕不允許！艾絲小姐必須穿得更清純、更美麗、更嫻淑！對，就像我們精靈一樣！」

蕾菲亞拍了一下自己的胸脯，漲紅了臉強烈主張。

看到她無意識燃燒著種族對抗意識，蒂奧娜試著打動她。

「可是，妳不會想看看穿這種衣服的艾絲嗎？」

蕾菲亞頓時凍住了。

她蔚藍色的眼睛目光停在蒂奧娜穿著的裹裙與裹胸上。

「怎、怎麼可能！」

「妳考慮了一下對吧？」

「妳胡說什麼啊！」，蕾菲亞紅著臉直搖頭，掩飾自己的窘態，她執起了艾絲的手。

「艾絲小姐，我們到精靈的店去吧！雖然不才，但我願意盡全力為您挑選服飾！」

「蕾、蕾菲亞……」

艾絲又驚訝又困惑，被拉出了店外。這副景象要是蕾菲亞恢復理智之後回想起來，她自己一定會大吃一驚而兩眼發昏的。

蒂奧娜與蒂奧涅互看了一眼，揚起嘴角，露出照鏡子似的雙胞胎笑容，接著就跑去追她們了。

後來，她們繼續把艾絲搞得暈頭轉向。

「「「喔喔——」」」

三個感嘆的聲音重疊在一起。

蒂奧娜等人齊聲讚嘆，雙頰因為羞怯而染紅的艾絲如人偶般佇立著，頭稍微垂了下來。

白色短上衣搭配迷你裙。稍加點綴的花朵造形圖案刺繡美麗動人。雖然只是單純的服裝穿搭，但衣架子好，再搭配美麗的金色長髮，兩者相映成趣，真是無可挑剔。

「好、好適合您喔，艾絲小姐！」

「嗯嗯，超好看的！要是洛基在這裡一定馬上撲過去！」

「皮膚這麼好，該凹的地方又都有凹……真令人羨慕呢。」

她們圍繞在試穿衣服的艾絲旁邊興奮地叫著。

她沒有穿防具，腰上沒有佩劍。那片櫻花色的嘴唇差點忍不住想問：不是劍士的自己看起來會不會很奇怪？

看到她抬不起紅通通的臉蛋，蒂奧娜她們都忍不住笑了。

「艾絲，就買這件吧！」

「呃，嗯……」

「結果還是在人類的店買了呢。」

「哎，這樣比較不會出錯啦。沒有特別要求的話，一般都會在這裡買吧。」

蒂奧娜興奮地說，一旁的蕾菲亞與蒂奧涅重新環視了一下店內。

她們已經逛過數不清的店了。不知不覺間逛街的目地變成了替艾絲選衣服，現在終於要在人類的店裡達到目的了。

「蒂奧娜，錢……」

「沒關係啦！當作我送妳的！要常常穿喔！」

蒂奧娜不等艾絲講完就搶著說，迫使目瞪口呆的艾絲生硬地點頭。她們迅速結帳，離開了服飾店。

時間已近正午了，太陽升上蔚藍的高空，燦爛地照耀磚瓦鋪成的石板地。蒂奧娜等人在各色服飾店的圍繞下走在熱鬧的後巷裡。

艾絲原本穿來的衣服包在布包裡，硬是被要求穿上剛買來的新衣服。平常絕不會穿的可愛服

Copyright ©Kiyotaka Haimura

飾使她經常顯得扭扭捏捏，引來了蒂奧娜等人的笑聲。
「要不要吃午餐了？我肚子餓了。」
「雖然還有點早，不過就這麼辦吧。蕾菲亞，妳知道什麼好店嗎？」
「呃，我記得前面好像有家咖啡廳……」
一行人邊聊邊走時，蒂奧娜感覺到一個視線。
回頭一看，艾絲正微微著垂眉毛看著自己。
「怎麼了，艾絲？」
「蒂奧娜……」
艾絲原本要說什麼，突然身體被撞了一下，把蒂奧娜嚇了一跳。
「哇！」
「唉呀，對不起喔，亞馬遜小妹！抱歉，我在趕路！」
撞上蒂奧娜的幼小少女匆匆忙忙地道歉，接著馬不停蹄地往前跑走了。
從那種上位人士的說話方式，她們得知了比自己嬌小之少女的身分。
「剛才那個可愛的女生……是女神對吧？」
「好像是喔。看起來好像很慌張……怎麼了，蒂奧娜？」
「她胸部好大……個頭明明那麼小。」
「……」

聽到蒂奧娜陰沉的語氣，蒂奧涅等人覺得有點被她打敗。

諸神的歲數不會增加，所有人都一副端正的容貌，只是有些人的外貌是少年、少女、老人，各有特色。就算有個小妹妹女神擁有不符合身高的胸圍也沒什麼好奇怪的。

蒂奧娜的視線方向，女神綁成雙馬尾的黑髮在那兒蹦蹦跳跳。

「這麼一說我才發現，好像看到很多女神的身影……」

蕾菲亞一邊說一邊左顧右盼。

她說得沒錯，周圍不時可以看見姿色端麗的女神身影。

「拜託啦，幫我把這件衣服重新修一下！我確實是在這裡買的！」

「可、可是這位女神，本店沒有這樣的服務……」

「別這麼小氣嘛！今天有『宴會』耶，只要能幫我把破的地方補一補，看起來不丟臉就好啦！」

聽到好像是剛才那位女神在店裡面大聲說話，蒂奧涅這才想起來，「啊」了一聲。

「對了，洛基有說過，最近會舉行『眾神之宴』。不過她還說自己不會去。」

「『眾神之宴』……我記得好像是某位神仙隨興舉辦的派對？」

「是呀。聽說還滿重視形式的，所以這些女神也許是來拿訂做的禮服吧？」

「啊，原來如此。」

聽了蒂奧涅的推測，蕾菲亞露出恍然大悟的表情。仔細一看，眾神的手臂上的確抱著好幾套

華貴的服飾。

不久蒂奧娜等人找到了咖啡廳，在圓桌子旁坐下。

「欸，等一下我們去南大街嘛！」

「鬧區啊……我ＯＫ啊。」

「我也沒有問題。」

「艾絲也一起去吧！那邊不用等到晚上也很熱鬧，很好玩喔！」

蒂奧娜對坐在身旁座位的艾絲笑著說，她一語不發，視線落向下方。

看到她舉動顯得有點歉疚。「艾絲？」，蒂奧娜叫著她的名字。

她慢慢開口說道：

「對不起，蒂奧娜……」

「……」

金色雙眸仍然低垂，艾絲輕聲說出了這句剛才來不及說的話。

她大概是察覺到蒂奧娜今天所做的一切都是為了鼓勵還在消沉的自己吧。艾絲滿懷歉意地縮起身體，不願意抬起視線。

蒂奧涅與蕾菲亞都住了口，周圍的喧鬧包圍著她們。

於是一直盯著艾絲看的蒂奧娜，慢吞吞地，

舉起一隻手，戳一下她的額頭。

「！……？」

艾絲驚訝得兩眼發直，蒂奧娜氣呼呼地用白眼瞪她。

「我可不是希望妳道歉才送妳禮物的喔——」

兩次，三次。

她戳了好幾下艾絲的額頭。

每次被戳，金色雙眼就閉了起來。

等到蒂奧娜停下來後，艾絲摸了被攻擊的額頭，戰戰兢兢地與她四目交接。

視線互相交集後，她放鬆下來，嘴角綻出微笑。

「……謝謝妳，蒂奧娜。」

看到艾絲終於展露笑靨，蒂奧娜也笑逐顏開，一把抱住了她。

「蒂、蒂奧娜小姐！沒必要摟摟抱抱的吧……」

「啊，怎麼，蕾菲亞，妳羨慕啊？」

「不、不是……！」

「可是不行——。因為艾絲身邊是我的特等席！」

「……！」

「呵呵，我看妳還是坦率一點比較好吧，蕾菲亞？」

她把雙手放在艾絲的肩上，跟她臉貼著臉，故意做給蕾菲亞看。

金眼少女有些怕癢地閉起一隻眼睛，顯得害臊，但沒有拒絕。
蕾菲亞大為動搖，蒂奧涅則是覺得很有意思地在旁觀看。
蒂奧娜與艾絲兩個人一起分享歡笑。

夕陽西照，城市染上了棗紅色。
當太陽開始落入市牆後方，蒂奧娜等人正走在回到總部的歸途。
「啊——，玩得好過癮喔——」
雖然只有一點點，但艾絲的臉上也恢復笑容，看到強行把她帶出來的方式奏效了，蒂奧娜非常開心。因為最後大家已經不是在替艾絲轉換心情，而是全都玩瘋了，所以像是蕾菲亞在露出苦笑時也帶著一絲疲累。
四人擠在一起談笑著，蒂奧娜等人在街道上轉彎，走到總部那條街。
「咦？」
「馬車……？」
看到宅第正門前有輛陌生的馬車，蒂奧娜與蕾菲亞都覺得納悶。
走近一看，穿著一身豪華黑色禮服的洛基正要坐上馬車。

「哇，洛基，妳怎麼穿成這樣！還換了髮型！」

「嗯？喔——，四個女生回來啦。唔呼，怎樣，好看嗎？」

「是，很好看……不過您要去哪裡呢？」

「嗯，我想去那群神大吵大鬧的『宴會』看看啦。」

「哎呀，可是妳不是說對『眾神之宴』沒興趣嗎，洛基？」

「——咈唏唏。我聽到了一則愉快的小道消息，所以要去整一下窮神小矮子啦。」

聽著洛基說些莫名其妙的話，蒂奧娜等人都不明就裡。

總之看到她那下流的笑容就知道絕不是什麼好事。

連頭髮都弄成晚宴頭的洛基說完後便坐上馬車，關上車門。應該是向商人租來的廂型馬車看起來真是富麗堂皇，車輛本體附有車頂、窗戶，空間可供好幾個人輕鬆坐下。車夫座上坐著垂頭喪氣的勞爾，一副在說「為什麼是小的……」的樣子。

「嗚哇——」，蒂奧娜百般同情地看著他，一身亮麗毛皮的馬這時嘶鳴了一聲。

「那，我走啦——！晚飯妳們隨便吃吧——！」

「啪！」，鞭子一揮，馬車開始移動。

望著洛基透過車窗揮手，蒂奧娜等人面面相覷，再度望向遠去的馬車。

都市籠罩在夜晚黑暗中，魔石燈光有如星海般滿溢出來。

這天耽溺於酒宴的歡鬧聲一樣不絕於耳，有一塊用地停著好幾輛馬車，眾多俊男美女絡繹不絕。

這些臉上貼著笑容的天神正要前往一棟建築物。

那是座象頭人形的巨大塑像。

只要是神經正常的人，看到那個造形勢必會懷疑自己的眼睛。乍看之下外觀有點像是怪獸，但又怪可愛的，頗為討喜。雖然也因為這樣而讓整座塑像看起來更古怪，不過諸神似乎不以為意，陸續鑽進盤腿而坐的巨人雕像胯下。

「這形狀真是怎麼看怎麼怪……」

洛基抵達了本日「眾神之宴」主辦人【迦尼薩眷族】的總部，讓馬車夫攙扶著下了馬車。

她與馬車夫並肩站著，眺望著白牆圍繞的廣大用地內穩坐中央，被燈光打亮的巨象建築物。

「不過勞爾啊，你越來越懂得跟女人相處了呢。護花使者當得不錯喔。」

「呃，是……多謝讚美。」

「那麼，不好意思，可以再陪我一下嗎？我可能會晚點回來，你可以在這裡等我嗎？錢不會少給的！」

「小的明白了。」，馬車夫勞爾露出苦笑，洛基咧嘴對他笑笑說：「那我走啦。」，穿著禮

服的身子便轉了過去。雖然她很少穿這種高跟女鞋，不過走起路來卻很自然，穿過了寬廣的庭院，走進建築物內。

誠如其名，「眾神之宴」是神才能夠獲准參加的聚會。

這種無論主辦神、舉辦時期都沒有原則可循的宴會常常沒有什麼特定目的，只是為了瘋狂玩樂而舉辦。應該說大部分都是這樣。儘管諸神與鄉愁這類的情感完全無緣，不過也會招集天界的眾神，以閒聊當成下酒菜，聚在一起喝個酒。

受邀的諸神當中，有些人會一邊話家常，一邊講起【眷族】的近況，互相交換情報。「眾神之宴」也是一種社交場合，在想要打聽都市內外情勢，或是親近特定派系時，這個場合相當重要。

「我乃迦尼薩！」

「耶──！」

洛基穿過長長的走廊來到了寬敞的大廳，這時跟建築物一樣打扮成象頭人身的男神正在舞台上面做宴會致詞。此人在一般民眾間也因為象頭面具而聞名，他就是本次宴會的主辦人迦尼薩，擁有一身淺黑肌膚與強壯肉體。周圍的諸神都對他的特大嗓門發出喝采。

依照主辦神的【眷族】規模，宴會內容與環境會有一百八十度的變化。【迦尼薩眷族】成員人數特別多，派系實力在都市裡面也名列前茅。動用了人力、財力，會場布置得十分豪奢。

巨大水晶燈型的魔石燈將大廳照得燈火通明，擺放在桌上的料理毫不吝惜使用了從世界各地訂購的山珍海味，還能夠看到肉味果等迷宮原產的食材。一身華美禮服有如貴族的諸神享受著自

助餐，【迦尼薩眷族】團員們則是擔任服務生，將玻璃酒杯分配給各位天神。

「我瞧瞧，還真是盛況空前啊——」

洛基將鞋子踩得喀喀作響，在這個「除了一部分比較熱絡外，大致氣氛還算和樂」的會場裡面走走看看。

很少在宴會露臉的她很快就吸引住其他神的目光，讓祂們議論紛紛起來。

「哎呀——，洛基來啦——」

「遺憾女神來得好啊——」

「喂，夠了，不准再講洛基美眉的壞話！」

「你們等一下鐵定會沒命。」

「不過，洛基竟然會穿禮服……！」

「世紀末到了啊。」

「不過話說回來，這貧乳還真是貧得徹底啊。」

「不對，是無乳。」

「我還沒看過如此的斷崖絕壁哩。」

「白癡啊，就是這點好啊！」

好，你們的臉我記住了。

等我回去你們就死定了。

她對一部分笑得人仰馬翻的神微微一笑，他們立刻腳步一致，以最快速度離開了會場。洛基呸了一口口水，叫住一個服務生，粗魯地把酒杯一仰而盡。

神基本上都很難捉摸。

為追求娛樂而來到下界的祂們總是逍遙自在，大多數在下界之人的眼光看來都很怪異。不要命的祂們既會像剛才那樣輕易惹火別人，改變態度的速度也出奇地快。

「不過話說回來，沒看到小矮子啊……只是謠言嗎？」

本來沒打算參加宴會的洛基之所以會來，純粹是一時興起。

正確來說，是她今天正好聽說自己視為眼中釘的某個貧窮女神不要臉地正在準備參加派對。

如果她沒來就算了，如果真的來了……她可要好好取笑一下連個禮服都準備不起的那副可悲、悽慘的模樣。洛基打著這種如意算盤。

她憋著忍不住的邪笑，隨興地走在大廳裡。

「喔喔，洛基，這不是洛基嗎。」

「嗯？」

當她在摩肩擦踵的眾神之間穿梭前進時，有個聲音叫住她。

眼睛往那邊一看，只見一位清瘦的男神眼睛彎成月牙，對著她笑。

富國的王子。就是這個印象。

此神隨時保持著無邪的笑容，想必讓眾多女性嫉妒的柔順金髮長至脖子附近。體格纖細中等，

手腳則是修長苗條。

與旁人同樣穿著正式裝扮的他絲毫不顯得畏懼，自然大方地用「如何，要不要聊一下？」這番話向洛基攀談。

「唷——，狄俄尼索斯。你來啦。」

「是啊，難得有宴會活動，我就來了，順便收集情報。誰叫我的【眷族】既沒有洛基那邊那麼強，也沒那麼超乎常識嘛。」

這位名叫狄俄尼索斯的男神如此回答，臉上一樣帶著笑容。

高雅的舉止真是上流階級的典範。在半開玩笑模仿貴族的諸神當中，只有他一個人顯得格外突出。

舉手投足如此高貴卻沒有一絲破綻，神情泰然自若；反倒是那對有如玻璃珠的眼睛彷彿能夠看透對方心中的想法。

不容小覷的一尊神，這是洛基擅自對他抱持的印象。

「哎呀，洛基。好久不見。過得好嗎？」

「喔喔……狄、狄蜜特，妳也在啊。」

「是啊，我們剛才一直在聊。」

手拿著玻璃杯面露微笑的，是位身材豐滿的女神。

披在背後的秀髮呈現蓬蓬的蜂蜜色，眼角柔和微彎，如同她的外貌，散發出來的氣質也很溫

柔。

那對巨大的雙峰彷彿隨時會從胸口大開的禮服中掉出來。被迫目睹自己絲毫沒有的物體，洛基勉強維持表情，不讓它抽搐。

從各種意味來說，個性大而化之的狄蜜特胸襟太過寬闊，讓洛基連對她抱持一點點反感都做不到。

「洛基，【眷族】最近怎麼樣？我每天都聽到妳的眷族(孩子)的活躍表現，大家都還好嗎？妳沒有讓他們太操勞吧？」

「喔，我家的孩子們都很健康啊。反而可以說太有活力了，真怕他們會大摔一跤……狄蜜特那邊怎麼樣？」

「我的【眷族】也受到多方人士的照顧，真是令人感激。前兩天我們收割了好多蔬菜，下次分一點給洛基你們喔。」

「喔喔，多謝啦——」

【狄蜜特眷族】是栽種、販賣蔬菜水果等等的商業類眷族。

他們在都市郊外擁有廣大農地，大部分收穫都在歐拉麗市場上面流通。

「現在宴會裡端出的葡萄酒也是用狄蜜特那邊的葡萄釀成的吧？我對葡萄酒可是很講究的，我得承認這酒的確很可口呢。」

「呵呵，謝謝你，狄俄尼索斯。」

「咦，真的嗎！」

聽到狄俄尼索斯坦率地讚美，還有狄蜜特害羞地微笑著說，洛基立刻抓住一個服務生，品嘗一下葡萄酒。

一含進口中的瞬間，濃厚的水果甜味立刻在舌尖上面起舞。直達鼻腔深處的芳香美妙無比。這個的確可口，連愛酒的洛基也默默地讚嘆。

「那，狄俄尼索斯那邊怎麼樣？最近沒聽到什麼大消息耶。」

「我的【眷族】嗎？可以說不算好也不算壞吧。我有努力不讓它沒落了。」

「真是的，從剛才就一直在岔開話題。狄俄尼索斯你好詐喔。」

根據管理冒險者情報的公會發表，【狄俄尼索斯眷族】的實力在迷宮都市裡面屬於中堅。儘管他們擁有幾位被認可為第三級——【能力值】Lv．2——的團員，不過可能是因為在地下城裡面沒有創下什麼輝煌事蹟，所以沒給人顯眼的印象。

這或許跟主神（他）「在防止情報洩漏方面做得比其他派系徹底」的個性有很大的關係。

「洛基那邊不是剛結束遠征嗎？有沒有什麼收穫？如果願意的話，跟我分享一點在地下城的見聞吧。」

「自己什麼都不說，還好意思這樣問人喔。」

洛基無奈地看著巧妙閃躲問題的狄俄尼索斯，後來三人閒聊了一會兒。

之後好像預定舉行舞會，寬敞大廳的角落開始出現一些像樂隊的人。一部分耐不住性子的神

Copyright ©Kiyotaka Haim

率先踏起詭異的舞步。還是老樣子占據著台上的主神迦尼薩頻頻喊著自己就是迦尼薩，偶爾也會講些嚴肅話題，不過已經沒人在聽了。

「不過話說回來，迦尼薩的宴會還是一樣豪爽呢。菜色不用說，我看歐拉麗的所有神幾乎都到場了吧。」

「以迦尼薩來說，他好像還得召集大家協助怪物祭（Monster Philia）呢。恐怕出手得大方點了。意思是叫大家當天不管怎樣絕對不可以妨礙慶典。」

「慶典啊……迦尼薩也真聽公會的話呢。」

再過幾天就要舉行一年一度的大規模活動。

活動聲稱是公會主辦，實際上卻是因為有【迦尼薩眷族】的全面協助，才能夠順利舉辦這場由馴獸師（tamer）與凶暴怪獸所共同呈獻的盛大演出。

「對了，洛基。」

「哦？」

狄俄尼索斯保持著臉上的笑容，忽然看向洛基。

「洛基會去慶典嗎？」

「嗯……」

難得的盛事嘛，洛基稍微考慮了片刻。

這是一年僅有一次的活動，也許自己可以帶著哪個可愛的孩子去觀戰……她有了這個念頭，

回答狄俄尼索斯說：

「我想可能會去，你問這個幹嘛？」

「不會吧，真的嗎？我看妳這次一定在打什麼壞主意吧？」

「喂，給我等一下，你這話什麼意思啊。」

「哎唷，等等，聽我解釋！我以為洛基對慶典沒興趣的，畢竟我知道妳在天界的破天荒程度，總是會忍不住胡亂猜測嘛。如果惹妳不高興了，我願意道歉。」

「什麼啊，聽了超不爽的……」

洛基嘴上埋怨，卻沒有全盤否定狄俄尼索斯的話。

這是因為當洛基還在天界時是個唯恐天下不亂出了名的麻煩人物。儘管現在她所有心思都放在眷族（familiar）身上，處事變得圓滑許多，但還是能夠明白狄俄尼索斯他想說些什麼。

她不大高興地用那對朱色眼睛瞪著狄俄尼索斯看。

「那你咧。你會去祭典嗎。」

「……這個嘛。我想應該不會去吧。那天我有點事情要處理。」

狄俄尼索斯維持著不變的笑容答道。

「是喔。」，洛基興趣索然，不再看他，正想再來杯葡萄酒，忽然一個景象映入她的視野。「哦哦？」，她又看了一遍。

紅髮女神與銀髮女神，還有個把漆黑頭髮綁成雙馬尾的幼小女神。

洛基咧嘴笑了。她將葡萄酒一飲而盡，用手臂粗暴地擦了擦嘴角。

「那麼，狄俄尼索斯、狄蜜特。我差不多要告辭了。下次再聊吧！」

「嗯，好。」

「呵呵。改天見，洛基。」

洛基轉身背對他倆，腳尖朝向她發現的幾個女神。

「喂——！菲菲——，芙蕾雅——，小矮子——！」

「……」

狄俄尼索斯無言注視著洛基遠去的背影。

他持續對洛基投注視線，直到那個身影混在人群中消失。

「又在打什麼壞主意了？」

有個聲音叫了他。

聽到狄蜜特微笑著發問，狄俄尼索斯轉過頭來，接著將苦笑掛在臉上。

「怎麼說得這麼難聽啊，狄蜜特？我什麼時候打過壞主意了？」

面對這樣的他，女神繼續微笑。

「因為狄俄尼索斯露出這種表情的時候總是會發生一些事情啊。」

「——嘎！」

猛烈一擊將「蜻蜓怪」砍成兩段。

蜻蜓型怪獸淪為銳利揮出的細身劍的犧牲品。敵人有單手劍那麼大的身軀化為飛灰之際，艾絲迴轉身軀讓劍連番發出閃光。

飛翔而來的蜻蜓怪同時被砍裂，化成塵土，刀劍有如引線穿針般將魔石正確地一一破壞。

艾絲直接前進。

她穿過飛散的塵埃形成的霧靄，逼近剩下最後一頭怪獸。

「啊啊啊啊啊啊啊啊啊啊啊啊啊啊啊啊啊啊啊啊！」

嚴陣以待的大型級怪獸「伯格熊」發出吼叫，毛茸茸的粗壯手臂朝著艾絲打下去。

艾絲故意不躲開逼向眼前的大爪——舉劍迎擊。她用敵人攻擊望塵莫及的速度將細身劍一揮，只見一道銀色斜線飛過，柏格熊的手臂已經被砍飛。

外觀類似熊的怪獸失去一隻手臂，僵在原地，艾絲立刻用劍尖朝對手一刺。

「——」

細身長劍深深刺進胸部中央，穿透背部。

伯格熊連臨死的慘叫都來不及，就漸漸失去色素，最後成了大量塵土崩落。

艾絲無言地甩了一下劍，發出「咻」的一聲，讓劍尖朝地。周圍只剩下好幾團塊狀塵土。

地點是第20層。

令人聯想到樹木內部的樹皮形成了廣大迷宮的形狀，天花板與牆壁上整片整片的綠苔不規則地發光。這座讓人產生誤入祕境森林錯覺的大樹狀迷宮就是艾絲的現在位置。

自遠征後慶功宴以來已經是第四天。在蒂奧娜等人打氣下，艾絲打起了精神，從早到晚與怪獸戰鬥，就像是要補回之前無所事事浪費掉的時間。

艾絲常常利用私人時間前往地下城，可以說探索迷宮就是她的興趣。她早已習慣像這樣單獨鑽進中層區域了。

此時她結束了探索，正要踏上歸途。

（……好難用。）

剛與怪獸集團打完一場的艾絲低頭看著借來代用的細身劍。

武器性能的確優異。然而，比起用習慣的愛劍（絕望之劍），這把劍的攻擊距離、重量大不相同，尤其強度相差最大。又長又細的劍身彷彿在強迫艾絲小心使用，用起來很不順手。

這讓艾絲覺得好像是鍛造神（古伯紐）在暗示她要更懂得愛護武器，這點真的讓她無從反駁。

（……得撿一撿才行。）

將發出淡淡光輝的劍刃收進劍鞘，艾絲決定先回收出現的掉落道具。

可能是因為一整天都窩在地下城，裝在腰上的小袋子已經塞滿魔石，筒形背包也沒剩多少空

間。由於實在是裝不下，因此她在對上怪獸時早已切換成「直接攻擊魔石」的戰術。

將拿不下的魔石、掉落道具隨意棄置在路旁並不是可取的行為。除了不該讓其他冒險者不勞而獲，有時候還可能讓他們——正所謂天下沒有白吃的午餐——不必要地提高戒心。艾絲努力將「伯格熊的爪子」塞進放在地上的背包。

這個時候就可以感受到支援者的可貴。儘管艾絲早已習以為常，但她將背包揹到左肩上時還是這麼想。

「……」

第20層寂靜無聲，只聽得見自己的腳步聲。

到了中層，先不論怪獸，在上層常常可見的同業者身影大幅減少。有很多初級冒險者還無法來到適性定為Ｌｖ．2以上的第13層以下層域。只有怪獸的咆嘯偶爾傳來，聽不到劍戟交鋒的聲音。

青苔朦朧的燐光照亮了艾絲的側臉，她獨自一人在通道裡面前進。

「……？」

不久，當她擊潰了幾次遇到的怪獸時，

艾絲的視線前方有一組冒險者集團從橫向洞穴走了出來。

他們拖著巨大的貨物箱，身穿完備的防具，行動沒有一絲破綻，看得出來都是些實力堅強之人。

（【迦尼薩眷族】……）

看到刻在武裝上的象頭徽章，艾絲得知冒險者們的真面目。同時，她也知道了那個黑鐵貨物箱裡面裝了什麼。

他們是為了明天舉辦的怪物祭來捕捉怪獸的。

一年一度的慶典將在競技場舉行。內容是由【迦尼薩眷族】的馴獸師對付從迷宮帶來的凶暴怪獸，並非要打倒牠們，而是將馴化的整個過程——馴服（taming）表演給觀眾們看。

有不少人對公會企劃的這項活動表示疑問。有人擔心他們宣稱維護都市和平，自己卻又把危險因子（怪獸）放到地上，這樣豈非本末倒置；也有人輕蔑地笑著說，這不過是討好市民的膚淺政策罷了。

關於怪物祭，艾絲很難說些什麼。

她的確也覺得把怪獸帶出地下城很危險，然而活動本身的宗旨應該是用來做為市民、冒險者之間的緩衝吧。

透過這場盛大祭典——沒有見血、乾淨的馴服（taming）來除去都市居民對冒險者懷抱的「問題人物、粗野法外之徒」等觀感（形象）。為了從迷宮有效率地回收魔石（利益），出於這樣的立場，公會不得不袒護冒險者們。

【迦尼薩眷族】或許也是出於主神的意向，純粹只為了取悅群眾而協助公會。為了欣賞這場活動，甚至有人遠道從都市外地前來，這也是事實。

每個人想必都有各自的打算，不過仍很難一口咬定他們這樣做是錯的，艾絲也是一名冒險者，

她是這麼覺得的。

「……」

眺望過「碰、碰」晃動的貨物箱後，艾絲轉換前進方向。

為了不妨礙到【迦尼薩眷族】，她改走其他路線前往上方樓層。

◆

回到地上抵達總部時，天色已經全黑。

她向看門的團員鞠了躬，請人家放行，進入宅第。

大家應該已經用過晚餐了。艾絲小心注意每個角落——簡直就像是探索迷宮時一樣，發揮著不必要的集中力——避人耳目地走在廊上。

她有些偷偷摸摸，不發出一點聲響，一感覺到有人就立刻繞路。艾絲還成功避開覺得納悶的蕾菲亞，並往自己位於塔樓高層的房間移動。

「艾絲。」

她細瘦的肩膀震了一下。

慢慢回頭一看，只見好像早就預料到她的行動而在這裡埋伏似的，里維莉雅稍微瞇細著眼睛站在那兒。

「妳去哪裡了……大概也不用問了吧。」

「……」

翡翠色眼瞳的視線打量著全副武裝的腳尖到頭頂。

一時之間艾絲企圖逃跑，但隨即作罷。要是那樣做的話，之後可有得受的。

里維莉雅刻意嘆了口氣。

「我不會叫妳不要去地下城。但是，遠征才剛結束，好好休養一下吧。」

「……嗯。」

「真是的，才看妳心情好一點，馬上就這樣啊。」

「……對不起。」

最後那句話當中或許也夾雜了一點無奈吧。

看到里維莉雅好像媽媽在罵小孩子晚歸一樣，艾絲也自然而然縮成一團。

這幅景象一眼就能夠看出誰大誰小。

「嗚嗚噁……哎唷，艾絲美眉跟里維莉雅，妳們在……嘔噁！」

艾絲正一味地垂頭喪氣時，洛基正好經過。

她的腳步踉蹌，臉色差到極點。最嚴重的是那一身刺鼻的酒味。

滴酒不沾的里維莉雅用一種難以理解的眼神盯著自己的主神瞧。

「那是我要說的……不，等一下，不准靠近我，別過來！」

「我只是來喝水的咩……嗚噁。啊——，頭好痛……講話不要太大聲——」

洛基從「眾神之宴」回來後就一直是這副德性。

她連芬恩等人的話都聽不進去，只喊著「不要阻止我！」一個勁地喝悶酒，然後宿醉。正確來說是第三天了。聽說好像是本來想嘲笑某位女神，卻反而講不贏對手，太過懊惱，所以才會借酒消愁。

連艾絲也忍不住和她保持距離。這個時候洛基摸著腦袋看了里維莉雅。

「所以，妳們在幹嘛？」

「……艾絲又鑽進地下城了。而且這麼晚才回來。」

「啊——，原來是這麼回事……」

洛基回著里維莉雅的話，側眼瞄了一下艾絲。

她先是盯著那雙金色眼睛好一會兒，然後慢吞吞地露出笑容。

「好，頑皮的艾絲美眉。為了懲罰妳害我擔心，明天妳得陪陪我喔？」

「……？」

「慶典啦。跟我約會吧？」

洛基散發著酒味，臉頰鬆垮垮地笑了。

艾絲直眨眼睛，正想開口說些什麼，不過卻被洛基搶先說：「妳沒有權力拒絕喔——」

「正好藉此散散心唄。反正我本來也打算去。里維莉雅要不要也一起來？」

「……我就免了吧。我實在不太適應那種祭典的氣氛。」

「好遺憾喔——，本來還以為可以左擁右抱的說……痛痛痛！」

洛基冷不防頭痛起來，按住了太陽穴；至於艾絲，則是看著里維莉雅，但她也用眼神叫艾絲聽洛基的話。

她本來打算明天到古伯紐那兒去拿應該已經維修好的《絕望之劍》……但她不好拒絕。除了才剛被訓話而感到內疚外，最重要的是，艾絲明白到她們關心自己的一番心意。

艾絲覺得有些過意不去，於是決定答應洛基的要求。

「那麼艾絲美眉，明天早上集合喔——。不可以一個人跑去其他地方喔——」

「我明白了。」

「我也該走了……艾絲，我得重複一遍剛才說過的話，妳要懂得適可而止。」

「嗯……」

與洛基、里維莉雅告別後，這天三人就這樣解散了。

隔天早上。

「咦——，艾絲，妳要跟洛基去慶典喔——？」

蒂奧娜來到艾絲的房間找她去怪物祭，艾絲一回絕，她說出了這番話。

「對不起，蒂奧娜……」

「嗯——，不過也沒辦法吧。誰叫我沒早點問妳。唉，被洛基搶先了呢——」

窗外晴空萬里，正是看祭典的好日子。到處可以聽見鳥兒祥和的歌聲，告訴大家清爽的一天已經開始。

在門口懊惱的蒂奧娜立刻表情一變，對她笑笑。

「我跟蒂奧涅她們馬上就要去東大街，如果我們能夠在那邊碰頭的話，就一起看祭典吧！」

「嗯。」

艾絲淡淡一笑，之後便跟蒂奧娜一起前往大餐廳。

也許是酒還沒醒，洛基跟昨天一樣沒有在早餐餐桌現身，蒂奧娜等人先一步離開了總部。

艾絲先回到房間換好衣服。

「……」

短上衣與迷你裙。是蒂奧娜送她的那套衣服。

看到站在穿衣鏡前的自己的模樣，儘管難為情的感覺超過一切，不過這可是人家特地送給自己的，這種日子怎麼能不穿呢。

為了以防萬一，她將吊劍帶繫在衣服外面，佩上護身用細身劍。

儘管整個人一下子變得有點嚴肅，不過沒辦法。說是約會，但既然要跟洛基一起行動，就應

該同時擔任她的護衛。

套上靴子後，艾絲走到入口大廳等候洛基前來。

「早安——，艾絲。不好意思啊——，我來晚了。」

「沒關係。」

看到洛基搖搖晃晃地出現，艾絲從原本坐著的椅子上站起身來。

她看起來有點有氣無力，不過臉色似乎比昨天好了一些。

「嗯？喔喔，這件衣服……真不錯！超可愛的！想不到能夠欣賞到艾絲美眉這副穿著！」

「……謝謝。」

「難道是為了我而特地打扮的？呀呵，好萌啊——！很適合妳喔——！讓我抱抱——！」

艾絲一時反射性做出反應，給了撲過來的洛基一個高速巴掌，將她打飛到側邊的牆壁上。洛基被打得整個臉陷進牆內，隨即而來的是物體掉落地面的「咚」一聲。

洛基雙手掩面在地上痛苦地打滾一會兒，最後好像沒事般站了起來。

「嗯，反正也看到了艾絲美眉的裙底風光，就不計較了吧。」

「……妳看到了嗎？」

「咦，啊，沒看到沒看到。我完全沒有趁著在地板上打滾的時候看裙子裡面穿的是新的緊身褲！」

這下又鬧了一番，過了一會兒。

讓不成人形的洛基帶領，艾絲出發前往怪物祭。

「艾絲，不好意思，我得去個地方，可以稍微繞個路嗎？」

「好的……是要，吃早餐嗎？」

「嗯——，這也是目的之一啦。」

兩人沿著北大街南下，來到建有巴別塔的中央廣場（Central park）後，往東大街前進。

東大街已經擠滿大量人潮。為了這天，路上並列著許多攤販，呈現一片繁榮景況，並在各個地方吸引擁擠的人潮駐足。

人類、精靈、矮人、獸人、小人族、亞馬遜人。無分男女老少，各種種族的人們混雜在一起的景觀既震撼人心又壯觀。興奮過度的群眾淹沒了整條大道，形成既長且粗的隊伍，一路排到位於都市東側的圓形競技場（amphitheatrum）。

「就是這裡啦，這裡。」

祭典即將開始進行，眾人的興奮情緒自然而然地持續加溫，洛基與艾絲在人群中穿梭，來到蓋在大道旁的一家咖啡館前。

走進店門搖響小鐘，店員立刻前來應對。洛基講了一兩句話後，店員就帶兩人前往二樓。

艾絲踏進那個地方的瞬間感受到的，是有如時間停滯般的靜謐。

每個客人都失了魂，嘴巴半張，將所有視線集中在同一個地方。

他們看得出神的是一位靜靜坐在窗邊座位，身穿深藍色長袍的神物。

「唷——，等很久了嗎？」

「不，我才剛到。」

洛基一直線地走向她身邊，爽快地打招呼。

對方也在壓得低低的連衣帽下浮現微笑。

「欸，我還沒吃早餐哩。可以在這裡吃嗎？」

「請便。」

看來洛基早就約好要來這裡見她了。

洛基拉了把椅子坐在對方正面，與那位女神繼續交談，兩人之間有種稱得上是舊友的氛圍。

看著她們對話，可以想見兩人在天界必定早有交情。

艾絲在一旁拘謹地擔任護衛，不妨礙兩人講話，她看到連衣帽內若隱若現的銀髮，就知道了這位初次見面的女神是什麼人。

「對了，什麼時候妳才會介紹那個孩子給我認識？」

「什麼啊，還需要介紹喔。」

「她跟我畢竟算是初次見面呀。」

女神的眼眸也轉到艾絲的臉上。與髮色一樣呈現銀色的雙眸讓艾絲頓時產生了魂魄被勾走的錯覺。

保有與【洛基眷族】同等的戰力，一部分人士甚至稱其為都市最強派系的【眷族】之主神。

同時又因為她的美豔與蠱惑魅力，而有「魔女」的別名，美的化身。

女神芙蕾雅。

「那好吧，她是我這邊的艾絲。這樣就夠了吧？艾絲，別看她這樣，她好歹也算是個神，妳就打個招呼吧。」

「……幸會。」

艾絲有生以來從未見過比里維莉雅更美的女性，然而眼前這位女神的美豔完全超越了身為王族的她。

絕世獨立的美貌。那種讓人甚至產生寒意的豔麗姿容，所擁有的力量別說是下界之人，就連同等的諸神也會神魂顛倒。即使她已經用長袍遮住身子，卻仍然能夠奪去周圍客人的時光，迷倒他們，這就是最好的證據。

在容貌永不衰退的諸神中，更以超群絕倫之美為傲的「美神」。

女神芙蕾雅就是其中一尊。

「真可愛。而且……嗯，我這下明白洛基為什麼會迷上這個孩子了。」

芙蕾雅面帶微笑，注視著得到洛基的允許在她身旁坐下的艾絲。

雖然早有耳聞風聲，不過這樣相對而坐，就會知道關於她美貌的傳聞絕非誇大其辭。無論是那姿色，還是隔著長袍也能夠看出來的魔鬼身材，甚至連同性的艾絲都可能無法抗拒。沒錯，她有著一種應該說是魔性般的美色。

艾絲的金色眼眸與芙蕾雅的銀色眼眸視線產生交集。
心中懷抱著許久沒有感受到的畏懼，艾絲缺乏表情地低頭致意。
她感覺到對方輕輕一笑。
「我可以問妳為什麼帶【劍姬】來嗎？」
「唔呼呼……！這妳就不懂了，難得的慶典耶，等一下我要跟艾絲美眉好好地、盡情地享受一場親熱約會啦！」
不過洛基才不管艾絲與芙蕾雅的邂逅，還是那副老樣子。
她慢吞吞地伸出手。
「……哎，而且啊，她才剛『遠征』回來，要是放著不管，這個小公主又要馬上鑽進地下城囉。」
「……」
「非得等到有人叫她放鬆，否則她一輩子也不會休息。」
艾絲無話可回。
這番突如其來的關懷話語讓艾絲視線低垂，乖乖地讓洛基溫柔地拍拍自己的頭。
在連衣帽下，芙蕾雅似乎也覺得這樣很有意思，露出了微笑。
然後，沒過多久，二尊女神就進入了今天碰面的主題，氣氛頓時一轉。
芙蕾雅問到洛基為何將自己約來這裡，洛基翹起嘴角，單刀直入地講出她的目的。聽她所言，

她對最近形跡可疑的芙蕾雅似乎有所防備，還問到前兩天露臉的「眾神之宴」。她問芙蕾雅明明講過好幾次自己不感興趣，為何那個時候又突然想到要參加？

【洛基眷族】與【芙蕾雅眷族】。

這兩個派系的實力不分軒輊，被比喻為迷宮都市的雙巨頭，兩者之間的勢力之爭從未中斷。只要對方一有破綻，兩個【眷族】隨時會將對手踢落谷底。正因為雙方是伯仲之間的存在，所以才更沒有辦法忽略對方的一舉一動；只要一方有所行動，另一方也非動不可。看來洛基似乎很清楚芙蕾雅有什麼企圖，而今天約她出來的目的，就是要警告她不要惹出麻煩。

不知不覺間周圍的客人都不見了。兩位女神一個瞪著對方，另一個用微笑回應。旁人似乎都被她們散發的危險神威震懾，全都跑光了。只有艾絲一個人坐在她們身邊，表情不變，靜靜旁觀兩人的側臉。

窗外一無所知的人們喧鬧聲傳進室內。

「男人嗎？」

洛基彷彿領悟到了什麼，說出這麼一句話。

看到美之女神仍舊只以微笑回應，她解除了緊張感，大嘆一口氣。

「唉……也就是說，妳看上了哪個【眷族】的孩子，是吧。」

「什麼嘛，有夠白癡的。」，洛基一個人猜中了真相，讓艾絲瞬時跟不上狀況。

將少數情報經過歸納、推測，芙蕾雅似乎是對其他派系的某個團員一見鍾情了。包括出席「眾

神之宴」在內，她會那樣積極行動，好像都是為了收集那個下界之人的情報。

艾絲回顧至今為止的對話，勉強推測到這裡，偷瞄一眼，只見芙蕾雅既不肯定也不否定，只是在連衣帽底下笑得愉快。

「真受不了妳這蕩婦女神。一年到頭都在發情，也不看看對象的嗎。」

「唉呀，這樣講就不對了。我也會有所抉擇的呀。」

「聽妳在放屁，也不想想是誰玩遍了那些白癡男神。」

「跟他們建立起人脈可以圖個方便嘛。在很多方面都能夠獲得通融的。」

講到這裡，對話暫且中斷，停頓了半晌後。

洛基笑了。

「所以呢？」

「……？」

「妳這次看上的孩子是什麼樣的傢伙？什麼時候發現的？」

「……」

「妳害我多費了精神，我總有權利聽一下吧。」

對於洛基有些牽強的主張，芙蕾雅將臉轉向窗戶。

長袍底下，一綹銀色秀髮從頸項處灑落到前方。

「……他並不強。跟妳或我的【眷族】孩子相比，現在一點都不可靠。一點小事就會讓他受傷，

三兩下就哭了出來……就是那樣的孩子。」

「可是，他好漂亮、好清澈。那個孩子有著我從未看過的顏色。」

「所以他吸引了我的目光。讓我為之著迷……」

艾絲感受到那有如關愛幼小孩童般的語氣逐漸蘊含起火熱的情意。

芙蕾雅不斷地訴說，俯視著窗外的景色。

「我真的是偶然發現他的。他只是碰巧進入了我的視野。……那個時候，也是像這樣……」

——就在一瞬間。

眺望著大量亞人群眾的銀色瞳孔似乎驚訝萬分地停在一個點上，再也挪不開視線。

艾絲反射性地沿著她的視線看去。

淹沒大道的人山人海中，金色雙眸發現了有如兔耳朵般輕輕搖晃的純白頭髮。

「——」

有短短的一段時間，她腦中一片空白。

艾絲的視線不自覺地被拉往那頭白髮前進的方向。

「抱歉，我有急事。」

「嗄？」

「下次再約吧。」

儘管芙蕾雅站起身來、洛基訝異地喊了一聲，不過對此刻的艾絲來說，那不過是意識一隅的

小事罷了。她一直追著即將消失在人群中的白兔，直到最後一刻。

「那個傢伙怎麼了啊。」。正當洛基納悶時，她查覺到艾絲的樣子。

「嗯？艾絲，怎麼了？發生什麼事嗎？」

「……沒什麼。」

她嘴上這麼回答，眼睛卻還是朝著窗外。

或許是看錯了。她不敢確定。但也許他真的來了。來看這場怪物祭。

艾絲發現自己對已經消失不見的白髮竟然感到一絲期待。

期待著也許能夠與他相見。

「欸，艾絲美眉，有什麼人在外面嗎？我很好奇耶。」

「……對不起。真的沒什麼。」

艾絲的視線終於離開了窗外，但洛基滿腹狐疑地盯著艾絲瞧，死纏爛打地追問個不停。她冷靜地應付著女神一邊喊「不准瞞我」一邊像是章魚般朝全身伸來的鹹豬手，沒過多久，來到店裡時點的早餐料理送上桌了。

洛基不滿地嘟著嘴，之後便乖乖吃起麵包、湯與沙拉。

等她吃完後，兩人付了帳，再度走到大道上。

「好——，如果怎麼樣都不肯從實招來也無所謂；不過相對的，從現在開始妳得陪我約會直到我滿意為止喔，艾絲美眉！」

「……我明白了。」

「很好，那我們走唄——！」

兩人順著人潮在混亂至極的東大街上前進。

寸步難行的大道上用花朵等物品點綴得多采多姿，增添了平時欣賞不到的色彩。道路兩側林立的商店到對面的建築物間懸掛著繩索，好幾面旗幟在艾絲她們頭頂上飄揚。旗幟的圖案有兩種，分別是象徵怪物祭的獅子剪影以及【迦尼薩眷族】的象頭徽章。

擺在道路兩旁與中央的路邊攤發出香噴噴的味道，留住了路上行人的胃。大火燒烤的雞肉淌著肉汁，油脂遇熱的滋滋聲更進一步刺激了食慾。

熱鬧滾滾的祭典氣氛，為所有人的臉上帶來了笑容。

「艾絲美眉，先去吃炸薯球吧！」

「……！」

洛基帶著她來到一個路邊攤，賣的是馬鈴薯泥裹上麵衣油炸而成的食品。看到偷偷愛吃的一道小點，艾絲稍稍改變了眼色。

「呃，一份普通的炸薯球還有……」

「一個紅豆奶油。」

她幾乎跟洛基同時出聲點餐，很快地裹麵衣油炸的一口小點就送到了手上。艾絲點的口味是另外添加奶油炸成的。

她並不在意洛基好奇是否好吃的視線，只是靜靜且熱烈地吃著。

「艾絲美眉，艾絲美眉。」

「？」

當她嘴上沾著薯泥一轉過頭，洛基馬上咬了一口自己的炸薯球。

接著她還很沒教養地用舌頭舔了好幾次嘴唇，然後露出爽朗的笑容，將那塊薯球拿到艾絲眼前。

「來，啊——」

「不要。」

立刻拒絕。

「為什麼啊——！我不是說了要妳陪我到我滿意為止嗎——！」

「不要。」

「餵艾絲美眉吃吃是我的夢想耶——！拜託嘛——！」

艾絲一口回絕，洛基一再苦苦央求。

但艾絲也一直堅持拒絕。面對甚至施展眼淚攻勢的主神，艾絲用她有如利劍般的鋼鐵意志再三回絕。

「那艾絲美眉餵我好了，餵我嘛——！這樣妳就沒有意見了吧！」

「……」

「一口，一口就好了！」

艾絲先低頭看看手上的炸薯球，接著又看看洛基不顧一切的臉孔。看到自己的主神顧不得旁人眼光苦苦哀求，她戰戰兢兢地將吃到一半的炸薯球遞出去。

她立刻一口咬上來。

洛基握著艾絲的雙手，狠狠咬了薯球一口，然後像隻醜松鼠般鼓著腮幫子嚼啊嚼的，仔細品嘗後嚥了下去。

「呼嘿，呼嘿嘿……跟艾絲美眉間接接吻……」

艾絲相當後悔自己的行動。

而且還巴不得能夠立刻別過頭去，不用再看那個主神（東西）。

「神仙，神仙！求求妳饒了我吧！」

「喂喂，別客氣啊！這次該我餵你了！來，嘴巴張開——！」

不知從哪裡傳來的慘叫（對話）讓艾絲知道不是只有自己這麼悲慘，總覺得有點安慰。

「來吧，艾絲美眉！還要繼續逛喔！」

後來艾絲被洛基拉著手逛遍了路上的攤子。

除了食物外，還有路邊攤賣現榨果汁，或是一些小東西，各色商品琳瑯滿目，讓人目不暇給。

洛基壞心眼的揶揄與女店員拚命解釋的模樣有些滑稽，逗得艾絲雙唇好幾次漾出笑意。

洛基搞怪的行為舉止，讓艾絲無意識地樂在其中。

「……」

「嗯，怎麼了，艾絲？」

無意間吸引艾絲停下腳步的，竟是一個販售武器的路邊攤。

也許該說是冒險者的聖地——迷宮都市特有的現象，這個攤販擺滿了許多以刀劍類為主的武器。鑲嵌著寶石、水晶的觀賞用裝飾劍特別顯眼，但也有販售實用取向的武器。

或許是直到今日艾絲已經親手鑑定過無數寶劍的關係吧，她的視線不由自主地受到展示武器吸引，想找找看有沒有意外的珍品。

看到艾絲露出今天最熱心的眼神，洛基露出苦笑。

「我是希望艾絲美眉能夠再女孩子氣一點啦——。……好啦，該走囉。」

「……是。」

「別那樣一臉捨不得的樣子咩。今天一整天，到處都有這種攤販的，不是這裡才有。」

艾絲被洛基說服，離開了路邊攤。

洛基一副還沒玩過癮的樣子，興致勃勃地帶著艾絲逛遍熱鬧的街市。

滴答，水滴落下，輕輕四濺。

從天花板滴落的細小聲響振動了空氣，在四周靜靜迴盪。

、、、

那個生物悠悠醒轉過來。

牠以緩慢地顫動全身，在狹窄的牢籠中稍稍轉動身軀。

空間中籠罩著有些沉重的寧靜。

四面八方是無邊無盡的黑暗，暗不見光。冰涼的寒氣撫過皮膚。

也許是誤入此處，一隻不知從何而來的老鼠隨著微弱叫聲出現，但一仰頭看見那個的瞬間立刻一溜煙地逃掉了。

那個生物並沒有立刻開始活動。

像是才剛醒來，意識一片空白，又像是為了辨認狀況而窺探四周，牠保持沉默，暫且委身於昏暗的寂靜。

無意間，牠察覺到。

囚禁自己的黑色牢籠得到了解放。

還有一件事。

那就是牠感覺到自己的同胞近在咫尺，同樣在暗處屏氣凝息。

牠從開啟的籠門中慢慢脫身。

牠發出一連串在地上爬行的聲音，離開了教人喘不過氣的牢籠。像是互相呼應似的，周圍也

陸續傳來溜出牢籠的氣息。

外面。

到外面去吧。

牠在黑暗中蠢動。

無關智力，與生俱來的本能燃起了火焰，想起了自己的存在意義。

往前移動。

脫離這片漆黑，往聽得見聲音的方向前進。

往感覺得到許多生物存在之處，自己的正上方前進。

到地表去。

「啊——，糟糕，已經開始啦！」

聽見從競技場傳來的歡呼，洛基慌張地叫道。

「走這條路就對了嗎？」

「ＯＫ的啦！比起大道，走這裡快多了！」

都怪她們逛攤販逛得太開心，忘了時間。

艾絲她們大幅錯過了最重要的怪物祭開演時間，此時正加緊腳步趕路。

在熟悉地形的洛基帶領下，兩人跑進又細又窄、杳無人煙的後巷。在周圍被建築物圍住而照不到陽光的小路裡，牆上各處安裝了魔石燈，此時沒有亮起燈光，靜靜沉眠。

艾絲與洛基朝著逐漸在視野遠方露出頭來的競技場設施前進。

「……？」

途中，艾絲露出訝異的神情。

耳朵一瞬間捕捉到了類似猛獸的嗥叫。

她想也許是競技場內與馴獸師交戰的怪獸發出的吼叫順風而來，但仍忍不住露出狐疑表情。

就在艾絲覺得好像有哪裡不太對勁時，兩人穿過了細窄道路，抵達了競技場矗立的廣場。

「唉唷，跑得我累死了……嗯嗯？這是什麼氣氛？」

洛基正在喘氣時，發現競技場周邊的氣氛十分緊繃。

為了整頓祭典環境而部署的公會職員嘈雜忙亂地移動，引發不安情緒。與此時此刻歡呼聲仍不絕於耳的競技場相反，動搖與混亂不斷擴大。

最明顯的是【迦尼薩眷族】團員們攜帶著武器從廣場四散的光景，這已經足以讓人判斷發生了某種異常狀況。

艾絲看了一眼洛基，得到她首肯後，走向競技場南側的正門附近。艾絲找到幾名公會職員圍成一個圈子，於是上前請他們提供情報。

「……抱歉，請問一下，發生了什麼事嗎？」

公會職員們猛然回過頭來，一看到艾絲她們，立即睜大了眼睛。

「艾、艾絲．華倫斯坦……」

他們先是愣在原處，之後一名男性職員飛快地接近艾絲，語氣急促地向她解釋現今狀況。

據他所說，為了祭典而捉來的怪獸似乎有一部分逃出了競技場地下的籠子，並散布在東部周圍的區域。

這起意外很可能是外界人士所為，聽他們所言，部分公會職員以及看守籠子的【迦尼薩眷族】團員像是靈魂被人抽走似地失魂落魄，再也振作不起來。

「我們沒有足夠人手鎮壓怪獸暴動，務必請您幫忙……！」

她沒有理由拒絕對方的懇求。

艾絲轉向後方，看向自己的主神。

「洛基。」

「嗯，我都聽到了。看來不是約會的時候了，好吧，就向迦尼薩賣個人情吧。」

公會職員們頓時欣喜若狂，洛基與他們交談，確認怪獸的數量、種類，還有能夠動用的人員狀況。

為什麼會讓怪獸逃走，這點之後再想。

面臨撼動都市東部一帶的狀況，艾絲握住了發出柔弱光輝的細身劍劍柄。

第五章

開戰

Гэта казка іншага сям’і

Пачатак вайны

Copyright ©Kiyotaka Haimura

大量觀眾的拍手、喝采如雷響起。
競技場內的舞台，【迦尼薩眷族】的馴獸師剛剛馴化了怪獸。
這裡是於都市東側築起的圓形競技場。無論是高度、場地大小都比四周建築物突出的巨大設施，此時正籠罩在直達天際的歡騰熱潮中。
「迦尼薩那邊果然厲害啊——。這麼輕易就馴化了怪獸。我實在學不來。」
「就是呀。馴服(taming)的成功率本來就很低，而且還要在這種大舞台上演出……」
「而且又表演得很精彩。不只是馴服而已，還做出娛樂觀眾的動作。難怪敢跟人收錢了。」
來欣賞怪物祭的蒂奧娜、蕾菲亞、蒂奧涅各自說出了感想。一大早就入場的她們目睹了其他派系精英表演的各種妙技，都坦率地表示欽佩。
身穿華美服飾的美女馴獸師回應觀眾的掌聲後，帶著變得乖巧的老虎怪獸退場。接著取而代之，一名身強體壯的男性馴獸師與連同尾巴算起來身體長度將近七M的大型龍從東、西兩門現身。
當觀眾之間發出喧嚷聲時，怪獸露出滿口凶惡的獠牙，發出低吼。
「那麼大一頭也是從地下城帶上來的？」
「怎麼可能啊，是從都市外頭帶進來的啦。如果是龍種怪獸的話，就算不是在地下城出生的，力量應該也不會遜色太多吧。」
在圍繞場地的觀眾席當中，蒂奧娜她們坐在中段附近。
當戰鬥揭開序幕的瞬間，觀眾席頓時掀起巨浪般的歡呼。「唉唷——」，蒂奧娜叫了一聲縮

起脖子，閉起一隻眼睛。在她身旁摀著耳朵的蕾菲亞扯著嗓門說：

「可是！不覺得有點奇怪嗎？我覺得那頭怪獸本來應該當成壓軸才對耶！」

聽到蕾菲亞努力不被周圍聲援蓋過而大聲說出的疑問，蒂奧娜也覺得有道理，眺望著展開搏鬥的馴獸師與怪獸。

那麼巨大的怪獸與魄力應該能成為今天的重頭戲才對。感覺似乎沒有必要這時候就叫出來，搶走其他怪獸的出場機會才是。

還是說，或許發生了某種情況，導致他們不得不調換節目順序——原本輪到該出場的怪獸不能上場了。

「而且……【迦尼薩眷族】的那些人從剛才就一直在忙進忙出呢。」

「啊，蒂奧涅也這麼覺得？」

蒂奧涅與蒂奧娜從場地中抬起頭來，視線望向競技場最上層的貴賓席——主神迦尼薩應該在那裡——還有團員們進進出出的身影。不只如此，他們還下到觀眾席來，對每個遇到的神或冒險者講悄悄話，看起來像是在請求他們某些事。

他們看起來萬分緊張的動作讓蒂奧娜等人開始隱約感覺到發生了某些狀況。

「要如何是好？」

「……稍微去看一下狀況吧。」

蒂奧涅回答蕾菲亞，從觀眾席站起身來。

三人穿過氣氛熱絡的觀眾跑上樓梯。

✦

「迦尼薩那邊的孩子們在做什麼，蜜西亞妹妹？」

「呃，這個，他們以市民安全為第一優先行動，跟我們合作，誘導東區市民避難。」

「嗯……在這種狀況下八成得不到什麼有用情報，怪獸還是交給艾絲處理吧。」

聽了公會職員有點口齒不清的說明，洛基環顧四周。

圍繞競技場的廣場上終於開始整齊劃一的行動。穿著黑色西裝的公會職員各自負起職責四處奔波，頻頻與武裝起來的【迦尼薩眷族】團員研究行動方針。其他還能看到少許提供協助的冒險者在聽到指示後立刻跑出廣場。

從街市的遙遠他方不時傳來怪獸的嗥叫。

「洛基！」

「哦？」

看到蒂奧娜等人往自己這頭跑來，洛基舉起一隻手表示歡迎。

她們已經從周圍的樣子察覺到事態嚴重，是來詢問詳細情形的。

「簡而言之，怪獸跑掉啦。說是在這附近亂晃。」

「咦，那不是很糟嗎！」

「嗯，很糟糕啊。」

蒂奧娜驚訝萬分；相對的，洛基則是依然一副平靜的表情。

她逼問洛基說「怎麼講得一副蠻不在乎的樣子！」，洛基則是苦笑著做出指示說：

「蒂奧娜，如果艾絲有怪獸打漏了，妳們可以幫忙解決嗎？對了，我也該移動了，妳們就找個視野開闊的地方等著吧。」

「艾絲小姐已經去找怪獸了嗎？」

「不，還沒有去。」

「嗄？那她在哪啊？」

對於蕾菲亞與蒂奧涅的疑問，洛基只用一根手指頭回答。

她指向頭頂上遙遠的競技場一角。

「那邊。」

風聲呼嘯。

美麗的金色長髮被風吹起，艾絲從競技場上方俯瞰著街景。

競技場的外圍部分本來是無法進入的。連個適當立足處都沒有的天頂部分外圍，高度在這附近一帶是最高的。從這個地點，從東大街到複雜交錯的馬路的每個角落都能夠盡收眼底。

追著散布於街上各處的怪獸到處亂跑太沒有效率了，肯定會浪費時間。

——從高處掌握敵人的位置，再迅速、準確地出手。

這是洛基對艾絲耳語的計策。

「……找到了。」

不只可以用肉眼捕捉，地上（這裡）還有地下城所沒有的風向，艾絲敏感地察覺到咆哮聲的震動乘著魔法（風靈疾走）的一部分而來，轉瞬間就分析出怪獸的所在位置。

附近能夠確認到的怪獸共有八頭。根據情報，目前逃走的有九頭，還有一頭找不到。

也不能花太多時間，艾絲放棄搜索敵人，拔出佩在腰際的細身劍。

「【甦醒吧】。」

她重新纏繞起風之氣流。

腳踩在邊緣一端，有如受到背後傳來的觀眾高喊聲前推，身體倒向前方。

從人工斷崖一躍而下，短暫的浮游感。

在越來越傾斜的視野裡，她用金色眼瞳盯上了距離最近的怪獸。

全速消滅。

「微型勁風。」

腳在牆上一蹬。

將自己當成子彈，艾絲斷然發動了長距離射擊。

「！」

「怎麼回事！」

貫穿。

她就像擊出的炮彈，從背後粉碎了沿著馬路中央猛跑的「巨怪」。正準備對付巨人怪獸的冒險者們全都吃了一驚，轟然巨響也把來不及逃跑的市民們嚇得肩膀一震。

（一頭！）

大量塵土爆散中，以雷霆萬鈞之勢切削石板的艾絲立刻調轉身體。她伴隨著突然吹起的強風在十字路上疾馳——接著斬斷出現在道路前方的怪獸身軀。

「——嘎！」

（兩頭！）

勢不可當。

她躍上三層樓高的屋頂，一口氣衝過好幾棟建築物，目標一出現在視野裡就降落地面。她看準注意到在石板上奔跑的影子而抬起頭來的怪獸，即刻展開襲擊。

（三頭！）

依據在競技場獲得的怪獸位置與街市俯瞰圖，艾絲的行動正確無比且所向披靡。她掀起粉塵與風切聲疾驅，比任何人都早一步發現怪獸，並加以擊破。

艾絲又在俄頃之間逼近以強韌四肢為傲、高速移動的鹿型怪獸「劍角鹿」，跑過建築物牆壁，

無視於地形阻隔，賞敵人一招斬擊。

（四頭！）

金色疾風提著劍，在街上奔走。

「請遵從職員指示進行避難！這附近沒有怪獸，請保持冷靜！」

「我女兒，我女兒不見了！在這群人當中走散了……！」

「請冷靜下來。可以告訴我令嬡的特徵嗎？」

公會職員拚命誘導產生混亂的市民。他們承受著交雜的怒吼與慘叫，並借助其他冒險者的力量，努力展開避難行動。

洛基俯視著半精靈女性職員與獸人母親對話的模樣，忽然聽見怪獸再度發出的臨死慘叫，抬起頭來。

「對蒂奧娜她們真不好意思，看來艾絲一個人就可以全部解決了……」

她從競技場移動到高聳的鐘樓上眺望著視野遠方的光景喃喃自語。

視線前方，金髮少女正在廣大的街區中行動，沒有一刻停歇。

此時她又砍倒了一頭被她發現的怪獸。

「不過話說回來……這場騷動絕對有問題。」

拜公會職員與【迦尼薩眷族】的行動所賜，周邊地區的居民全都平安無事。洛基側耳傾聽眼下他們的聲音，得知目前完成避難的人們沒有半個受傷。

也許應該讚揚他們盡力保護市民安全，但就洛基來說，她卻覺得出乎意料。

（非但沒出人命，甚至連傷患都沒有，怎麼可能有這麼好的事情啊……。哪有怪獸不襲擊人族（孩子們）的。）

洛基目不轉睛地看著一個方位，只見一頭怪獸在街角狂奔，理都不理發出慘叫的亞人。牠就像是在尋找什麼似的東張西望，亢奮地推開、踩爛障礙物，粗魯地在周圍徘徊。

「好吧，也不知道等會兒還會發生什麼事……」

視線前方的怪獸又被艾絲解決了。

能夠使出這種把戲，或者該說敢做出這種好事的傢伙——想到這裡，隱藏在連衣帽下的蠱惑微笑以及閃耀光彩的銀髮在她腦海裡面閃過。

「——啊？」

洛基唐突地看向腳下。

地板搖動了一下。

雖然還不致於站不住腳，但鐘樓的確有瞬間晃了一下。

她探出身子，環顧四周街景。

「是地震嗎……？」

「嗚哇——，好像真的輪不到我們出場耶。」

沿著房屋屋頂移動的蒂奧娜等人停下腳步。

艾絲不但沒有漏掉怪獸，還將每一頭確實殺死，不需要蒂奧娜她們支援。

輕柔的微風餘波傳來，吹撫著她們的髮絲。

「感覺就像食物擺在眼前卻直接被吃掉那樣呢。」

「啊，好像能夠體會。」

「……兩、兩位沒帶武器卻很敢講呢。」

今天蒂奧娜她們本來就沒帶武器。因為她們認為自己的大型武器、法杖帶去看怪物祭不方便。防具更是不用說了。

插不上手，就快落得白跑一趟時，又聽到亞馬遜姊妹說只要有肉體就足夠，讓蕾菲亞只能勉強裝笑。

「……？」

「蒂奧娜？」

「怎麼了嗎？」

蒂奧娜訝異地彎著眉毛，像隻神經過敏的野貓開始環顧四周。

表情緗緊的她開口說道：

「地面是不是在晃？」

「……真的耶。」

「地震……好像不是呢。」

這種隨便亂搖的晃動感根本不像地震，使蒂奧娜等人產生了危機感。

在地下城培養出來的感覺，就算只是一點微不足道的小事，或是任何前兆，都能夠引起她們的反應。

緊接著。

就在她們自然而然提高戒備時，忽然傳來一陣某種物體爆炸的巨響。

「！」

三人的視線猛然被吸引過去，只見道路的一隅瀰漫著大量煙塵。

「啊——呀啊啊啊啊啊啊啊啊啊啊啊啊啊啊啊啊啊！」

緊接著響起女性的尖叫聲。

製造出晃動，從煙霧深處現身的，是一條推開石板從地底出現，酷似巨蛇的長條怪獸。

一陣寒意竄過頸項。

蒂奧娜等人頓時臉色大變。

「蒂奧涅，那個傢伙很不妙！」

「走吧。」

喊叫的同時，她們飛奔而出。

蕾菲亞慢了一步，也向前跑去，在屋頂上跳躍，一直線往前衝。

當發出慘叫的市民四處逃竄時，蒂奧娜等人「咚」的一聲在道路正中央俐落地著地。

「這種怪獸，迦尼薩他們那邊是從哪裡抓來的啦……」

「新種嗎，這個……？」

煙霧完全散去，怪物教人毛骨悚然地抬起了頭部。

細長的胴體與平滑的皮膚組織。頭部——身體前端部位沒有眼睛或其他器官，有些鼓脹的形狀彷彿向日葵的種子。全身呈現出淡淡的黃綠色，給蒂奧娜她們一種不舒服的似曾相識感。

「沒臉的蛇」應該是最貼切的形容了。

「蒂奧娜，動手吧。」

「知道了。」

「蕾菲亞觀察情況，開始詠唱。」

「好、好的！」

聽見眼神變得銳利的蒂奧涅做出的指示，不只蒂奧娜她們，連怪獸也產生了反應。

從地面長出的身體蠢動起來，意識的矛頭朝向與牠對峙的雙胞胎姊妹。

下個瞬間，牠全身有如鞭子般發動了襲擊。

「！」

蒂奧娜與蒂奧涅避開了使足蠻力的身體衝撞。

石板掀起，破碎聲四散。石塊像子彈命中周圍的商店，把店面打得千瘡百孔，橫幅至少十M的寬廣道路再次煙霧瀰漫。

怪獸發出「窣嚕嚕嚕」的噁心聲響，扭動著牠細長的身體，蒂奧娜與蒂奧涅立刻從死角對牠飽以一頓拳打腳踢。

「！」

「好硬——！」

打擊到皮膚的瞬間，她們一致表示驚訝。

使出渾身解數的一擊被擋下來了。

儘管是空手，不過第一級冒險者光是施展出來的猛烈打擊就足以讓一般怪獸肉體爆裂開來，不過現在竟然打不穿，也擊不碎。以驚人硬度為傲的平滑體皮不過小小凹陷了一點，反而還對蒂奧娜她們的手腳造成損傷。

蒂奧娜甩甩破皮的右手，瞪大了雙眼。

「——！」

怪獸受到蒂奧娜她們的攻擊而顯示出疼痛難耐的反應，接著像洩憤似地發動猛烈攻勢。身體有如氾濫的激流般猛烈蛇行，想把她們壓爛、打散。

亞馬遜姊妹遊刃有餘地閃開攻擊，接著對敵人渾身上下賞了好幾拳。

「用打的沒完沒了！」

「啊——，早知道就準備武器了——！」

兩人又咋舌又喊叫，同時與蛇型怪獸戰鬥。

一旦被打中肯定完蛋的敵人攻擊通通被她們躲掉。怪獸發狂似的用全身拍打，不過蒂奧娜她們輕巧地在周圍用跳躍方式閃避，連個邊都擦不到。

雙方都無法給予對手致命一擊，戰況陷入膠著。

在戰況外，蕾菲亞利用蒂奧娜她們爭取而來的時間持續詠唱。

「【解放一束光芒，聖木的弓身。汝乃弓箭名手】。」

她沒有能提高魔法效果的法杖（裝備），就伸出一隻手臂吟詠咒文。

著重於速度的短文詠唱。儘管輸出威力較低，不過卻能夠充分對應高速戰鬥。

而且目標只顧著應付蒂奧娜她們的攻擊，根本不把蕾菲亞放在眼裡。這給了她更多時間瞄準攻擊。

張開濃金色的魔法陣，蕾菲亞迅速建構出魔法。

「【狙擊吧，精靈射手。射穿吧，必中之箭】！」

就在她完成了最後一個音韻，魔力匯聚，即將解放的下一刻——情勢一轉，怪獸突然改變了原本姿勢轉向蕾菲亞。

「——咦？」

那異常的反應速度伴隨著寒意震懾著蕾菲亞的心臟。

至今對自己莫不關心的怪獸突然把那沒有臉孔的頭部朝向她。

牠的視野一看到蒂奧娜她們已經開始退避——便對「魔力」產生反應。

蕾菲亞直覺地領悟到這點，下個瞬間。

衝擊力道貫穿了腹部。

「——啊。」

從地面伸出的黃綠色突起物。

有蕾菲亞手臂那麼粗的觸手重重打中了沒穿任何防具、戰鬥用裝束，毫無防備的腹部。

隨著體內響起難聽的「咕沙」一聲，她嘴裡吐出鮮血。

「「蕾菲亞！」」

身體因反作用力而浮上半空，背部朝下倒在地上。

蒂奧娜她們心急地呼喊，這個傷害對於精靈纖弱的身體等於是致命傷，她無法從那裡爬起來。

從地面長出的詭異觸手恐怖地蠕動，而蛇型怪獸也產生變化。

只見身體前端部位抬起，有如在仰望天空似的，接著頭部「噗茲噗茲」地裂出幾條線——然

後開花了。

「喔喔！」

破鑼似的咆哮聲隆隆作響。

無數片花瓣綻放開來。

色彩斑斕像是藏著劇毒一般。

中央有個排滿牙齒的巨大嘴巴，滴著黏液。

在活生生的口腔深處，淡紅色的體內，魔石反射著陽光，一閃一閃的。

「不是蛇……是花！」

眼見怪獸露出真面目，蒂奧娜大感驚訝。

讓人誤以為是蛇的細長身形原來是花莖，沒有臉的頭部是花苞。

開花而暴露出醜惡相貌的食人花怪獸，對蕾菲亞表示出明確的意志。牠從周圍地面不斷突出從身體分支的無數隻觸手，本體則是像蛇一樣爬向獵物。

「蕾菲亞，快起來！」

「哎唷──煩死了，別來礙事！」

蒂奧娜她們想跑向她的身邊，卻遭到觸手群的襲擊。黃綠色突起不管再怎麼飽以老拳卻還是一直過來，形成蠢蠢欲動的叢林，阻礙她們前進。

蒂奧涅的呼喚也沒用，怪獸已逼近躺在地面的蕾菲亞眼前。

我不要，蕾菲亞心想。

遮住上空太陽，又長又大的身軀。黑色身影籠罩住自己好幾次試著爬起來的身體。至於會讓人覺得噁心的食人花，滿口牙齒滴答滴答地淌著黏液，垂落在蕾菲亞的臉旁邊。

周圍的慘叫聲好遙遠。來不及逃跑的市民們臉色鐵青，看著蕾菲亞即將被吞噬的模樣，嚇得無法動彈。陷入恐慌的他們被公會職員、冒險者們拉著手臂趕去避難。

我不要，我不要，蕾菲亞再一次心想。

她心中念著：手臂啊，腿啊，身體啊，快動啊。哪個部位都好，快動啊，站起來啊。她鞭策著只會發抖卻怎麼都爬不起來的身體。

然而，時間無情地流逝。不等蕾菲亞振作起來，醜陋的大嘴已經逼近眼前。

啊啊，她悲嘆著。

逐漸模糊的雙眼映照出降落下來的食人花。

不要，不要，夠了。

一樣。又是一樣。

一定的。

自己一定會，再度——

「啊啊啊啊啊啊啊啊啊啊啊啊啊啊啊啊啊啊啊啊啊啊啊啊啊啊啊啊啊啊！」

金、銀兩道光芒在視野中飛馳而過。

斬下敵人首級的猛烈劍閃與美麗金髮的光輝烙印在悔恨流淚的眼裡。

自己一定，再度——受到憧憬的她所保護了。

慘叫聲轟然響起，怪獸被斬下的首級撞進建築物一角。

全力揮出的細身劍閃耀著光芒，艾絲氣勢萬鈞地降落在石板上，隨即轉向後方。

就在要咬住蕾菲亞前一刻被切斷的怪獸身體霍然向後一仰，軟綿綿地折彎，當場不支倒地。

「艾絲！」

襲擊蒂奧娜她們的觸手也像是脫力般落到地面。

真是好險，火速趕到這裡的艾絲這麼想。

就在消滅了六頭逃走的怪獸時，艾絲遠遠看見這種完全未知的神祕怪獸——就像蒂奧娜她們

那樣——於是受到無形力量的推動，她趕到了戰場。她不顧一切驅使魔法風力，一衝進來就使出斬擊，才讓蕾菲亞得以撿回一命，但只要稍慢一步的話，或許她的性命就不保了。

視野中，蒂奧娜她們朝自己這邊過來。艾絲望向蕾菲亞。

她擔心還倒在地上的精靈少女，本想立刻趕到她身邊。

然而，微小的地面晃動卻拖住了她的腳步。

「……！」

那輕微晃動隨即變成了巨大鳴動。

正當艾絲架起劍時，附近的石板隆起了。

「這、這是怎麼了……」

「還沒完嗎！」

以蒂奧娜她們的驚叫為開端，黃綠色身體從地面突出。

包圍著艾絲，三個頭。

緊閉的花苞一齊綻放，巨大的嘴巴就像是在俯視般朝向她。

微溫的呼氣落在臉頰上，艾絲橫眉豎眼，正要斬向怪獸——毫無預警地，

劈嘰，在響起龜裂聲後，細身劍破碎了。

「——」

「啊——」

「這——」

看到手中的武器毀壞，不光是艾絲，連蒂奧涅、蒂奧娜都說不出話來。

承受不住風(風靈疾走)的輸出與艾絲的猛烈劍技，細長的細身劍終於撐不住了。

她直到現在都只顧著起勁砍殺——不，應該說她把這把武器當成了愛劍(絕望之劍)了。連根折斷的劍身就像繃緊的弦斷裂開來，從斷口處產生裂痕，化為碎片，告訴它早已超過極限。頓時銀光四散。

糟糕，會被罵的。

弄壞代用劍的艾絲，第一個想到的是這件事情。

「——！」

食人花蠕動著。

面對三隻一起襲來的對手，艾絲用跳躍方式閃避。

「！」

她用右手中失去刀刃的細劍柄頭打向怪獸身軀。

反彈回來的是硬質觸感。儘管已經附加了風力，不過敵人體皮卻只有輕微凹陷，沒有傷痕。

看了之後，艾絲放棄攻擊。

「喂，牠怎麼完全不理我們啊！這次換成盯上艾絲？」

「難道是對魔法產生反應……！」

儘管蒂奧娜、蒂奧涅也加入戰局，但不管怎麼攻擊，食人花都只針對艾絲，對她們不屑一顧。

她一邊行動一邊不時後退，讓戰場遠離蕾菲亞，並在同時連續閃避。敵人撲了空的嘴巴刺進地面，咬碎了石板。伸向她的大量觸手鞭子有蒂奧娜她們迎擊，讓艾絲得以在最後一刻連連閃開。

「艾絲，把魔法解除！牠會追著妳跑的！」

「可是……」

「一人一頭，總會有辦法的！」

蜿蜒的蛇形身軀一路上亂撞亂打，把排在路旁的攤販一口氣打飛。

面對張牙舞爪撲來的怪獸們，艾絲被迫專心防禦，蒂奧娜她們經過艾絲身邊時好幾次催促她，她不得已，正打算解除魔法。

就在那一刻。

「——」

一個人影映入艾絲眼簾。

一般民眾。是來不及逃跑的人嗎？

一個獸人小孩躲在路邊攤後面，坐在地上。害怕得發抖的她，視線與艾絲產生交集。

若是往原先的退避方向——右手邊逃跑，那條又長又大的身軀絕對會把小女孩連同路邊攤一起撞爛。

判斷只在一瞬間。

她將風之氣流打開到最大，纏繞身上。

艾絲孤注一擲，衝向已經被堵住的左手邊退路。

然後，被捉住了。

「還好嗎！」

蕾菲亞痛苦難耐地倒在地上，這個時候有人向她伸出了手。

微微顫抖的手撐在地上，試圖重整態勢的身體慢慢被人扶了起來。

「咯哈，咳噁，啊……！」

蕾菲亞混著血絲劇烈咳嗽，在公會女性職員的攙扶下撐起上半身。

喉嚨有灼熱感，腹部像是燃燒般滾燙。

只要稍微動一下，身體立刻一陣劇痛，蕾菲亞皺著一雙柳眉，視線勉強掃過四周。

整條路面目全非，石板全被打得掀了起來，兩旁的商店不過就是全毀、半毀的差別，通通被壓扁了。並排的路邊攤也已經失去了原貌，消失無蹤。

蕾菲亞視線不清地四處游移，尋找著她們的身影。

尋找的是比自己強了好幾倍的冒險者們。那些總是守護著弱小自己，溫柔卻又冷酷，高不可攀的人物。

等到她的雙眼聚焦時，蕾菲亞這才在道路另一頭看到了那個身影。

「──」

同時，她的呼吸凍結了。

牆壁遭到粉碎的商店。

金髮少女被怪獸的大嘴咬住，壓在巨大的木造建築物上，幾乎陷了進去。

由於被咬住的關係，風的氣流形成了球形的小旋風。不只如此，一旁還有另外兩頭食人花擠上來，卡滋卡滋地咬個不停。亞馬遜姊妹抓住牠們試著扯開，但卻無法脫身。

無數利牙意圖蹂躪金髮少女的肌膚，試著咬碎風之鎧甲。

「請不要動，我們必須離開這裡為您治療！」

她拚命想撐著身體站起來，卻被半精靈公會職員制止了。

蕾菲亞做出抵抗，讓公會職員不知如何是好，但她一順著蔚藍色的眼睛看過去，頓時倒抽了一口氣。

「……【迦尼薩眷族】很快就會前來救援。這裡交給他們，請您快去避難吧！」

「……！」

竄過全身的劇痛讓蕾菲亞身體一下子彎成兩截。

公會職員盡可能冷靜地安撫她，她呼吸急促地俯視著自己的左手。

【迦尼薩眷族】。如果是武裝起來的他們，想必能夠救出她們，救出艾絲跟其他人吧。比起

負傷的蕾菲亞，他們一定會成為艾絲她們的助力。

別再管了，通通交給別人吧，身體的痛楚也在如此向她低語。

蕾菲亞一時之間說不出話，她低下頭，閉起眼睛——接著，她左手握拳，雙眸猛然睜大。

她站起身來。

「……！」

「——我是！我是蕾菲亞・維里迪斯！維仙森林的精靈！」

半精靈女性瞪大眼睛仰望著她，她大聲疾呼，像是要趕走一切懦弱想法。

「我是與女神洛基締結契約，在這歐拉麗中最強、最高傲、最偉大的眷族(familiar)之一！豈能臨陣脫逃！」

語言能夠化為力量。

跟魔法一樣，蕾菲亞使自己奮起，取回了力量的主流，踏出蹣跚的一步，接著一口氣飛奔而出。

蕾菲亞一心想著幫助陷入困境的她們而再次回到戰場。

（——我明白，我很明白！）

蕾菲亞自己早就知道了。

（我知道我只會拖累她們！）

自己動不動就會成為艾絲她們的枷鎖。

無論是至今還是今後，自己都得讓她們保護著。

就算自己想不顧性命幫助她們，最後一定也會被她們溫柔地推開。她們會叫自己不用擔心，不允許自己跟在她們身邊。

就像那時候一樣。

（不管怎麼逞強，我就是配不上她們！）

怎麼追也追不上。就算緊追不放，差距仍然持續擴大。

憧憬的對象實在過於遙遠，讓她受到自卑感折磨，不自由主地卑躬屈膝。

她們——金色神聖的她是那麼地強，自己是那麼地弱，這點打擊著蕾菲亞的心。

（可是……！）

她想追上。

她想幫助她們。想成為她們的助力。

如果可以的話，蕾菲亞想要與她們同在。

她希望自己可以成為那樣的人物，得到允許，能夠待在接納自己、無數次拯救自己的她們身邊。

「！」

距離縮短了。

她靠得夠近，讓目標進入自己的射程範圍裡面。
盯緊了包圍艾絲的怪獸們，蕾菲亞開始詠唱。
「【以維仙之名許願】！」
結果，她終究只能緊追不放。
為了追上憧憬之人，只能如此。
「【森林的先人啊，高潔的同胞啊。回應我的聲音，來到草原吧】。」
不管要嘔多少次血，要跪地多少次，就算泉湧的淚水使面頰永無乾涸的一天。
緊追之人，只會被允許繼續追趕。
「【聯繫的羈絆，樂宴的約定。繞轉圓環起舞吧】。」
意志會受挫。一再受挫。沒有誓言能夠永遠不受挫折。
不過是有人能在受挫後一再振作，不肯放棄罷了。
不過是有人不管難看地摔倒再多次都能一再站起來，喊著絕不屈服罷了。
「【來吧，妖精的圓環】。」
蕾菲亞歌唱著。
她吞下逆流的血液，為了脫離只是受人保護的自己，為了追上憧憬之人，詠唱著樂章。
「【請求你——借我力量】。」
將這首歌送給她。

唱著一首「即使自己步伐緩慢，也能讓位在遙遠前方的她聽見」的歌。

即使無法讓她回首，也誓言要傳進她的耳裡，治癒她的傷口、保護她、驅逐威脅她的敵人。

如同在森林裡面起舞的精靈。如同一直以來拯救心愛之人的仙精。

讓自己才有資格詠唱的歌聲傳到各個場所。

將這魔法（詩歌）送到她身邊吧。

「【精靈之環】。」

吟詠出魔法名稱的同時，濃金色的魔法陣變成了翡翠色。

「蕾菲亞！」

「！」

蒂奧娜注意到聚集的魔力。同時，運用利牙啃咬艾絲身旁之風的怪獸們也回頭轉向更強的魔力來源。

艾絲也因驚訝而睜大眼睛。

「【——終末的前兆啊，皚皚白雪啊。面臨黃昏時刻，捲起狂風吧】。」

詠唱繼續下去。

本該已經完成的魔法再加上其他詠唱，建構出其他種類的魔法。

——可以學到的魔法數量是有上限的。

【能力值】確保的魔法欄位最多為三個。也就是說就算天賦異稟，也只能使用三種魔法。

其中蕾菲亞最後習得的魔法是——召喚魔法（Summon Burst）。

將同胞魔法（精靈）中完全掌握了詠唱、效果的魔法當成自己的必殺技來運用，前所未聞的犯規招式（稀有魔法）。透過犧牲兩階段詠唱時間、精神力的方式，她能夠發動任何精靈的魔法。

因為這項魔法，歐拉麗諸神授予她【千之精靈（Thousand Elf）】的別名。

「【封閉的光明，結凍的大地】。」

召喚的是精靈公主——里維莉雅・利歐斯・阿爾弗的攻擊魔法。

喚起極寒的暴風雪，將敵人動作連同時間一起凍結，毫無慈悲心的雪浪。

在詠唱過程中，除了蕾菲亞的圓潤聲音外，又出現一個美妙玲瓏的聲音與其重疊相合。

翡翠色的魔法陣綻放出耀眼的光輝。

「——！」

三頭食人花怪獸迅速逼近她。

發出破鑼似的啼叫聲，殺向仍舊不斷提升的魔力。

「好啦好啦！」

「給我乖一點！」

「！」

「!?」

然而，蒂奧娜、蒂奧涅、艾絲發揮神速，在一瞬間追上怪獸，擋在牠們面前，用拳打腳踢或

Copyright ©Kiyotaka Haimura

架開的方式阻擋怪獸的突擊。

在她們身後的蕾菲亞受到保護，接著抱住腹部，前屈著彎下身子。

怪獸的觸手如槍林般從地面刺出。

衝擊掠過她的腿、肩膀、耳朵。

儘管流血，但蕾菲亞成功地躲開了致命傷，只見她吊起蔚藍的雙眸，一口氣完成了詠唱。

「【漫天吹雪，三度嚴冬——吾名為阿爾弗】！」

魔法陣擴大。

然後她的嘴唇，念誦出魔法之名。

「【狂喜・芬布爾之冬】！」

三道吹雪。

艾絲等人脫離了彈道，就看到連大氣都能夠凍結的純白細冰直接命中怪獸們。體皮、花瓣，甚至連尖叫都被凝結，最後三朵食人花被霜雪、冰塊包覆得密不透風，動作完全停了下來。

三座冰雕佇立著。怪獸們被關進了永凍的結冰牢籠，同時整條街道也進入冰的世界，化為藍白二色的凍土。

飛舞於蒼穹的冰粒結晶反射著日光，閃閃發亮。

「幹得好，蕾菲亞！」

「……給我找了一堆麻煩，你這株臭花！」

蒂奧娜歡呼著，蒂奧涅則是有點火冒三丈，在三頭怪獸裡面的兩頭懷裡「噠」一聲著地。

兩人流暢、毫無滯礙地，彷彿約好似的用相同的動作滑向深藍色的冰雕。

「！」

「要上囉——！」

一絲不亂，卯足全力的迴旋踢。

褐色的赤腳在怪獸軀體中央釋放其威力，霎時製造出數不盡的龜裂，食人花的整個身體名符其實地遭到粉碎。

「艾絲！」

「……洛基？」

當蒂奧娜她們粉碎怪獸時，艾絲聽到有人在叫自己，抬起視線。

只見兩個人影站在半毀商店的屋頂上。是剛才看到的那個哭哭啼啼的獸人小女孩，還有把她抱在腰際的洛基。

艾絲的主神喊了一聲「嘿」，把劍扔給她。

「這是……」

「嗯，我從那邊借了一把。」
洛基指向一個方向，那裡有個被怪獸打爛的路邊攤。
刀劍類反射著陽光，透出光輝，是個武器攤。
跟她們早上逛街時看到的那個攤販屬於同一種店鋪。
「那就麻煩妳啦──」
洛基對她笑著，艾絲本來想問她是什麼時候救走小女孩的，但沒有說出口，自己也笑了。
「……」
整條路都被冰凍，籠罩在寒氣當中。
艾絲慢慢地走向剩下來的一座怪獸冰雕。
冰凍的食人花沉默無語。
面對著連時間都被凍結的蒼藍雕刻，艾絲拔劍出鞘，甩手一揮。
雕像上面刻出了無數斬紋。
給予對手最後一閃的同時，刀劍一甩，發出「咻」一聲。
冰塊錯位地滑落下來。
它失去平衡，接著清涼地砸碎四散。
清音奏起，細冰飄舞，金色長髮伴著蒼藍光彩隨風飄逸。

「蕾菲亞，謝謝妳！真的幫了我們大忙了——！」

「蒂、蒂奧娜小姐？」

沒考慮到傷勢，蒂奧娜抱住了蕾菲亞。

滿臉通紅的她似乎因為身體疼痛的關係而瞇起左眼，但雙頰卻泛著掩飾不住的笑意。

看到她似乎安下心來的表情，艾絲也誠懇地表達心意。

「謝謝妳，蕾菲亞。」

「艾絲小姐……」

「妳剛才看起來，好像里維莉雅呢……真厲害。」

她微微睜大眼睛，露出又像感動又像害臊的表情，不由得低下頭去。她讓蒂奧娜從旁抱著自己，臉蛋紅得像顆蘋果似的。

「好啦好啦，還有工作要做喔——」

洛基拍了拍手，岔了進來。

一看，周圍的確有公會職員四處奔波。從競技場逃走的怪獸還沒全數打倒，狀況還不允許她們大意。

「蒂奧涅，可以麻煩妳們跑一趟地下嗎？總覺得還有什麼問題。」

「好好好，交給我吧。」
「蕾菲亞還撐得住嗎？如果不行，讓公會那些人給妳治療一下吧？」
「啊，好的。我知道了。」
朱紅色眼睛接著看向艾絲。
「艾絲去找剩下的怪獸。我也跟妳去。」
「明白了。」
洛基做完指示後與蒂奧娜等人分手。
「那，走唄。」
「好的。」
艾絲她們開始前進，很快地，
遠處傳來像是歡呼的高喊傳進了耳裡。
她們無暇留意，只瞥了一眼，那邊不是競技場的方向。
而是此處的東南方，又稱為迷宮街的「代達羅斯路」——

西斜的太陽即將沉入市牆後方。

當街道開始染上傍晚色彩時，艾絲與蒂奧娜她們正走在北大街上。

「唉——，發生好多事情，總覺得好累喔。」

「今天真是意外連連呢。」

蕾菲亞對蒂奧娜所言發出苦笑。受過傷的她，先不說治療過的傷痕，那身衣服變得破破爛爛，教人不忍卒睹。

這次的事件暫且算是平息了。在【迦尼薩眷族】與公會的迅速對應下，市民沒有任何傷亡，聽說被害狀況也壓到最小。唯一的問題是沒能逮捕到始作俑者，這場騷動究竟只是為了自娛，還是有某種意圖，真相石沉大海。

「這下子公會與【迦尼薩眷族】恐怕有好一陣子都抬不起頭來了。民眾一定會跟他們追究安全與管理的責任。」

「今天這場騷動該不會也是為了這個目的……？」

「說不定喔。」

聽著蒂奧涅、蕾菲亞的談話，艾絲俯視著自己的身體，噤口不語。

蒂奧娜注意到她的樣子，從下面湊過來看她的臉。

「怎麼了，艾絲？有什麼事嗎？」

「……蒂奧娜。」

艾絲有些歉疚地垂著眉毛，對她說了聲「對不起」。

「我把衣服，弄成這樣……」

「……」

雖然損傷程度沒有蕾菲亞那麼嚴重，但艾絲衣服的衣襬也綻線了，白色布料變得髒兮兮的。

這件衣服不是探索地下城的那種重視靈活、耐穿的戰鬥衣（battle cloth），根本只是件便服，經過那樣的大肆廝殺當然會破。

艾絲正覺得內疚時，蒂奧娜咧嘴微笑。

「下次我們再去買吧？」

「……嗯。」

蒂奧娜在棗紅色光芒沐浴下露出美麗的笑容，艾絲才得以用微笑來回應。

她的臉頰也被夕陽染紅了。

「……」

接觸到蒂奧娜的溫情，艾絲慢慢想起了那位白髮少年。

少年果然有來怪物祭。

那個時候與蒂奧娜等人分手後，艾絲與洛基追趕著剩下怪獸的蹤跡，發現最後一頭是被他打倒的。

（貝爾……）

儘管只是擦身而過的一瞬間，不過艾絲得以見到少年。

她無意間喃喃念出記憶中的名字。

如今她確定自己很想跟他道歉，心想著一定要再見到他一次不可。

不過另一方面，她又發現自己得知還是個新人的他竟然打倒了比自己強大的怪獸，覺得有些高興。

她們趕到東大街。

在通向代達羅斯路的路口聚集了大量人潮，還有為一名冒險者的歸來歡呼的熱烈迴響。

好多人都欣喜萬分。

說少年冒險者不顧危險，為人們打倒了怪獸。

因為自己知道酒館的那件事，此時聽到市民們讚頌他的聲音……對，讓艾絲更加高興。

她面無表情地眺望染上晚霞色彩的天空，瞇細了眼睛。

「對了，洛基呢？」

就在距離總部不遠的歸途中，蒂奧娜這個時候才想到要問。

在她身旁的蒂奧涅聳聳肩回答：

「好像是忽然有急事啦。她還說會弄到很晚，不回來吃晚飯了。」

「又去喝酒？才發生過這種事，真是有精神呢——」

「也說不定是天神之間的交際應酬……」

夕陽徐徐西下。

走在路上的四個人影、建築物的影子，還有市牆的影子都越拉越長。

黃昏寧靜漸漸地包覆著街市。

都市南邊，魔石燈光氾濫的鬧區。

時間已是夜半，儘管整片天空染成深邃的黑色，不過鬧區卻像是大白天一樣燈火通明。許多人們不分種族在店裡、店外進進出出，不光是身穿完整裝備的冒險者，還能夠看到許多五官端正的天神。

一家高級酒館就位於在這樣的深夜裡面氣氛依然熱絡的鬧區一隅。

在一間有如貴族家中房間的寬敞包廂，洛基與芙蕾雅隔桌而坐。

「怎麼這種時間把我找出來？這次有什麼事？」

「妳明明心裡有數，還好意思問。」

兩位女神手端杯對酌，雙方臉上都帶著笑意。

芙蕾雅是閉著眼睛從容不迫的微笑；洛基則是擺出了嘴角上揚的下流笑容。

「今天慶典的那場騷動是妳引起的吧。」

「唉呀，妳有證據嗎？」

「不要講這種老掉牙的台詞。看狀況就知道，除了妳以外沒人辦得到。」
洛基把昂貴的葡萄酒當水喝乾，接著說下去。
「魅惑、魅惑、魅惑，全都是魅惑。妳就是這樣把迦尼薩那裡的孩子還有公會的傢伙通通迷成廢物，輕鬆解決了守衛吧？」
美神(芙蕾雅)的「美」能夠輕易「魅惑」芸芸眾生。
那種理性無法抗衡的力量可以撼動生物本能，有時候能夠刻意引發恍惚的失神狀態，有時候則是能夠單方面讓對方成為美貌下的奴隸。連超越存在的諸神都可以誘惑的女神之「美」，下界自然沒有一個孩子能夠反抗。
這對怪物(怪獸)來說也是一樣的。
「跑到外面的怪獸沒有傷害任何人。或者該說牠們卯起勁來光顧著找某個東西。我看八成就是受到深入骨髓的『魅惑』，除了某個花癡女神外，什麼都看不進眼裡吧。」
洛基指出怪獸沒有襲擊人群的詭異行徑並做出結論。
「發生那麼大一件事，卻沒有出半條人命，除了妳以外，還有誰能夠玩這種把戲？哎，我是不知道妳想幹什麼啦……不過本案的犯人就是妳啦──。錯不了。」
「……呵呵，是呀，大致上跟妳說的一樣。」
「哦，挺老實的嘛。」
看到芙蕾雅乾脆地招認，洛基不懷好意地嘻嘻笑著。

「我看我去跟公會告狀好了——？懲罰一定很重吧——？」

面對洛基毫不掩飾地出言威脅，芙蕾雅仍舊保持微笑。

她微微睜開閉著的眼瞼，說出下一句話。

「鷹羽衣。」

「嗄？」

「我借妳的那件羽衣沒有還給我呢。想把我出賣給公會的話，可以先把它還給我嗎？」

洛基頓時一臉訝異。

「這，那是在天界時我摸走的……嗯哼！借、借走的耶！都這麼久了，時效也該到了吧！是說哪有人挑這種時候拿出來講的啦！」

「我管不了那麼多。喔，當然，妳貴為女神，總不會說話不算話吧？」

芙蕾雅彎著嘴角笑著，只有眼神變得銳利。洛基畏縮了起來，講話開始支支吾吾。

「不，可是，那個……是我的寶貝耶，怎麼能夠現在叫我還妳啊……」

「只要妳不把今天的事情說出去……不，只要今後對我的行動睜一隻眼閉一隻眼……那件羽衣就送給妳吧，如何？」

洛基一下子愣住了，芙蕾雅想說什麼，她再清楚不過了，臉頰跟著抽搐起來。

哎唷，可惡！她一手抓抓頭，一邊咒罵。

「妳這惡婆娘！竟然搬出這麼久以前的舊帳。」

「妳也好不到哪去呀，還想敲詐我。」

芙蕾雅開心地笑著，肩膀顫動不已。洛基擺出一張臭臉，全身靠在椅背上。豪華的沙發柔軟地承受她的體重。

「吼，氣死人啦——，真的。我家那幾個可愛孩子被迫對付怪裡怪氣的怪獸，倒楣事都落在我們頭上耶。不找做點事情消消氣怎麼吞得下去啊。」

「……？」

她愣了一下。

看到芙蕾雅露出美神不該有的嬌憨表情，洛基蹙起眉頭。

「妳那什麼臉啊。想跟我裝蒜喔。不是有第十頭怪獸嗎，像蛇又像花的噁心玩意。」

「……我放到外頭的只有九頭喔？」

「……少騙我。」

「真的呀。我只是想拖住妳與迦尼薩的孩子的腳步，以免事情太早收場嘛，並沒有打算隨意擴大被害情況呀。」

「雖然騷動是我引起的，這麼說不太好意思就是了。」，芙蕾雅最後又接著這麼說。

兩人都露出訝異的神情。

到了這個時候，她們才發現雙方講話根本牛頭不對馬嘴，就像衣服鈕扣扣錯了一樣。

「……那，那頭怪獸究竟是啥啊。」

「誰曉得？我根本連妳說的是什麼都不知道。」

對話中斷了。

洛基與芙蕾雅面面相覷，兩人之間產生奇妙的沉默。

雲層半掩的月亮散放微弱的光輝。

鑲嵌在周圍的銀砂星斗發出冰冷的光芒。

在靜謐的夜空俯視下，一處屋頂傾圮的古老廢墟。

老朽的建築物連牆壁也有各處破損，石材暴露在外。在不分晝夜總是保持明亮的歐拉麗當中，只有這個後巷極深地帶的一隅照不到燈火，瀰漫著暮色。

在這樣的廢墟中，有個人影仰望著明月。

如同藏身於黑夜當中，有一個人，佇立在黑暗深處。

「狄俄尼索斯大人。」

不意間，一個聲音對著那個人影響起。

那是一名女性，無聲無息，不知從何處現身。如同樹葉般尖細的精靈耳朵與雪白玉肌相輔相成，浮現出清晰的輪廓。

對於拂去廢墟黑暗步行而出的她，被呼喚的神物緩緩轉過頭來。

撥雲見月，蒼白月光自開了大洞的屋頂照進室內，清晰照出天神的端正容貌。

「比公會搶先回收了嗎？」

「是，東西在此。」

男神──狄俄尼索斯消掉了平時掛在臉上的笑容，接下那名女性團員遞給他的物品。

他讓那物品在掌心裡滾了幾下。

接著用修長的手指抓起它，舉起對著夜空，瞇細著雙眼。

「事情越來越棘手了……」

中心色彩斑爛的魔石反射著月光，發出濃豔的光輝。

在地下城尋求邂逅是否搞錯了什麼 外傳

終章

藍天下

舉頭是一片清爽的蒼穹。

澄澈的天空無邊無際，高得不見盡頭。

鱗片狀的白雲飄在空中，沐浴在和煦的陽光下，艾絲今天照常前往地下城。

一如平常熱鬧的街市大道。

店員的聲音、客人的喧鬧、踩踏石板的許多跫音。

來往的馬車轉動著車輪，馬兒的嘶鳴響遍四周。大道上洋溢著無數的笑容與活力。

艾絲雜在人群中，持續與各種亞人擦身而過。

每當她往前走，武裝冒險者們的視線自然就聚集在她身上。交頭接耳的悄悄話傳進耳裡。

有人說，她是最強的女性冒險者。

有人說，她是不死之身的劍士。

有人說，她無所不能。

誇大不實的評價。

畏懼招來更多的畏懼，只有名聲不受控制地越傳越大。

面對他人有口無心的評語，艾絲叫自己不要放在心上，無意間，一幕光景通過她的視野。

是一個眼角帶淚的人類小女孩。

她被排擠在人群外，獨自待在路旁，沒有任何人靠近她。

艾絲停下腳步，煩惱了一會兒後，走到小女孩身邊。

「妳怎麼了……？」

「……嗚嗚嗚。」

艾絲輕聲細語地問她，小女孩一聽，淚水盈眶，像決堤般大哭起來。

艾絲嚇了一跳，想安慰她別哭，卻想不出能夠跟她說些什麼。

小女孩只對著她悲傷嗚咽，她自己則是傷透腦筋，呆站在那兒。

想想，還真滑稽。

越傳越誇張的名聲在取笑她。

從她身上看不到一點【劍姬】凜然的英姿。一見到本人，原來艾絲・華倫斯坦連碰到這麼點小事都會驚慌失措。

就算擁有最強的實力，打倒了再多怪獸，也不是無所不能。

辦不到的事情反而還比較多。

「……等我，一下下喔？」

艾絲暫且離開那裡，有點像是在逃離哇哇大哭的聲音。

她勉強猜出小女孩應該是迷路了，於是跑去找附近巡邏的公會職員。

過了沒多久，艾絲帶著職員趕緊回到原本的場所。

小女孩卻消失了。

「……！」

公會職員在一旁困惑地看著艾絲，她顧不得探索迷宮的事情，到處尋找小女孩的蹤影。
她舉目四顧，掃視大道的每個角落。
商店、廣場、後巷入口。
她去了每一個小女孩可能會去的地方確認，途中好幾次差點撞到別人的肩膀。
最後，在矗立於廣場的鐘樓時針繞了半圈時。
她終於找到了。
她看到小女孩笑著抱住像是她母親的一個人。
「啊，大姊姊！」
艾絲正感到安心，那個小女孩先發現到艾絲。
看到剛才的哭喪臉龐消失得不留痕跡，變成了開朗的滿面笑容，艾絲也回以小小的微笑。
「媽媽找到妳了？」
艾絲一問，小女孩搖搖頭。
然後，她得到了這個回答：
「是一個白髮哥哥幫我找的！」
她眼睛睜得好大。
艾絲瞬間停住了，隔了一拍後，她繼續問道：
「白頭髮、紅眼睛的？」

Copyright ©Kiyotaka Haimura

「嗯，好像兔子一樣！」

小女孩開心地笑著點頭。

「……這樣啊。」

艾絲輕聲說道，然後與她們告別。

目送著低頭道謝的母親與揮手的小女孩離去，她站在原處，悄悄仰望天空。

純白的雲朵飄過天空。

她讓意識飛往那片自由飄忽的美麗白雲。

想到那個人輕易辦到自己辦不到的事情，她產生一種不可思議的感情，同時心情變得透明。

艾絲站在原地，人潮拋下她獨自流去。

一個什麼都不知道，擦身而過的腳步聲，離她越來越遠。

白雲隨著清新的風搖曳。

歐拉麗的天空，今天依然湛藍。

在地下城尋求邂逅是否搞錯了什麼 外傳

Copyright ©Kiyotaka Haimura

艾絲·華倫斯坦

隸屬	洛基眷族
種族	人類
職業	冒險者
到達樓層	第 58 層
武器	細劍
所持金錢	7700000 法利

Skill　Lv.5

力量	D555	耐久	D547
靈巧	A825	敏捷	B822
魔力	A899	獵人	G
異常抗性	G	劍士	I

魔法　風靈疾走

・附加魔法（enchantment）。
・風屬性。
・詠唱文【甦醒吧（Tempest）】

技能　？？？

細劍　絕望之劍

・不壞屬性（Durandal）。
・【古伯紐眷族】製作。99000000 法利。
・永遠不會破損的特殊武裝（superiors）。
少數能夠承受艾絲劍技的刀劍。
・呈現軍刀形狀。攻擊力比其他一級品
裝備要來得低。

後記

前兩天有個機會跟GA同屆的七条剛老師談論某款SRPG。
「其實我作品的女主角也有受到長髮劍士（納巴爾）大人的影響。」
「咦，這樣啊？」
「是啊。揮舞著殺人劍（キルソード），用必殺一擊把敵人砍得血肉橫飛這樣。」
「喔……」
我到現在還沒有忘記七条老師的眼神，就像在述說：她的確看起來一副拿著殺人劍的樣子呢。

只要讓他們握著一把劍，就能夠用銳不可當的劍技三兩下把對手解決得清潔溜溜。
相對地，由於他們「必殺一擊、必殺一擊」連續使用的速度實在太快，打倒了太多敵人，反而引來了更多敵人，因此而陷入危機當中——我對劍士有著這種險象環生的印象。
我想本作裡身為劍姬的女主角，應該就是作者這種單方面對劍士的印象具體化後的形象吧。
基於本篇作品走向，還有主角的努力目標，催生出這樣一個無雙系女子（女主角），但她實在太強了，常常讓責任編輯大人發出「戰鬥也好，事件也罷，都給她一個人解決就夠了吧……」這樣的呻吟。
一旦她拿出真本事，本篇的所有表現機會搞不好都要被這位女主角搶走了。
因為這一部分的內情，我才會展開了這次讓女主角擔任主人翁的衍生企劃（作者至今還是這

麼認為）。

可以毫無遺憾發揮實力的女主角究竟能夠衝到哪裡呢？儘管作者自己在期待的同時也感到害怕（不安），但還是希望各位讀者能夠持續關注這個故事的結局發展。

那麼，請容我進入謝詞部分。

感謝面對這部衍生作品也一樣鼎力相助的責任編輯小瀧，包括本篇在內，我想我們還得兩人三腳地走一段很長的路，今後還繼續請您多多指教。此外還要感謝協助衍生作品刊行的編輯部高橋、為本作繪製大量角色設定與插畫的はいむらきよたか老師，以及各個相關人士，我要借這個機會向大家致上最深的謝意。

另外，還有為限定版小冊子繪製封面的深崎暮人老師，包括本篇的限定版在內，真是受您照顧了。真的很感謝您。

最後，真心感謝賞光購買本書的各位讀者。

我們下次再見。

大森藤ノ

在地下城尋求邂逅是否搞錯了什麼 外傳 劍姬神聖譚

原書名：ダンジョンに出会いを求めるのは間違っているだろうか外伝 ソード・オラトリア

作者：大森藤ノ
插畫：はいむらきよたか　角色原案：ヤスダスズヒト　翻譯：可倫

2015年2月25日　初版一刷
2015年5月25日　初版二刷

發行人：黃詠雪
副總編輯：洪宗賢
責任編輯：洪宗賢　責任美編：李潔茹

國際版權：黃麗華

出版者：青文出版社股份有限公司
住　址：10442台北市長安東路一段36號3樓
電　話：（02）2541-4234
傳　真：（02）2541-4080
網　址：www.ching-win.com.tw

法律顧問：敦維法律事務所　郭睦萱律師

製版所：嘉陽印刷事業有限公司
印刷所：立言彩色印刷有限公司

日本SB Creative Corp.正式授權繁體中文版
版權所有・翻印必究

Dungeon ni Deai wo Motomerunowa Machigatteirudarouka Gaiden Sword Oratoria Limited Edition
Copyright ©2014 Fujino Omori
Illustration Copyright ©2014 Kiyotaka Haimura
Original Character Design ©Suzuhito Yasuda
Chinese translation rights in complex characters arranged
with SB Creative Corp.,Tokyo
through Japan UNI Agency,Inc.,Tokyo and BARDON-Chinese Media Agency,Taipei
Complex Chinese Edition for Distribution and Sale in Worldwide excluding Mainland for PR China
國際繁體中文版，全球發行販售（不含中國大陸地區）
■本書如有破損、裝訂錯誤，請寄回出版社更換■

國家圖書館出版品預行編目資料

在地下城尋求邂逅是否搞錯了什麼. 外傳, 劍姬神聖譚 /
大森藤ノ作；可倫翻譯. -- 初版. -- 臺北市：青文, 2015.02
　面；　公分
譯自：ダンジョンに出会いを求めるのは
間違っているだろうか. 外伝, ソード・オラトリア

ISBN 978-986-356-200-9(平裝)

861.57　　103025434